国家出版基金项目
NATIONAL PUBLICATION FOUNDATION

《三联经典文库》

第二辑

2012 年国家出版基金项目

三联经典文库

185

人民文豪鲁迅

平心　著

生活·讀書·新知 三联书店

图书在版编目(CIP)数据

人民文豪鲁迅 / 平心著. -- 北京：生活·读书·新知三联书店, 2014.1
（三联经典文库第二辑）
ISBN 978-7-108-04690-1

Ⅰ. ①人… Ⅱ. ①平… Ⅲ. ①鲁迅（1881～1936）－思想评论
Ⅳ. ①I210.96

中国版本图书馆CIP数据核字(2013)第246629号

185 人民文豪鲁迅

责任编辑	龚黔兰
封扉设计	蔡立国
责任印制	宋　家
出版发行	生活·讀書·新知 三联书店 (北京市东城区美术馆东街22号)
邮　　编	100010
经　　销	新华书店
印　　刷	北京鹏润伟业印刷有限公司
版　　次	2014年1月北京第1版　2014年1月北京第1次印刷
开　　本	787毫米×1092毫米 1/32　印张 11.5
字　　数	161千字
定　　价	42.00元

《三联经典文库》出版缘起

适逢生活·读书·新知三联书店八十华诞，为弘扬传统，接续文脉，回报读者，服务社会，我们决定策划出版《三联经典文库》。

1932年7月，生活书店在上海创办，此后，读书出版社和新知书店相继成立。本文库第一辑、第二辑所选图书，来自于这三家出版单位及其分支机构，以及1948年生活·读书·新知三联书店成立后的出版物，始于1932年，截至1951年，两辑各一百种。此为第二辑，涉及政治、经济、社会、军事、思想文化诸领域，涵盖专著、文集、散文、小说、诗歌、传记、报道等体裁，既有直面现实、追求真理、讴歌真善美、抨击假恶丑的原创作品，又有引介世界各国先进文化、传播新知、开启民智的迻译之作，真实记录了那一代知识分子的思考与探索、理想与愿景和对中华民族文化传承与创新所做出的努力与贡献。

本文库所辑入各书，多为名家名作，在版本方面，以初版一印本或经著译编者审定、修订、增订过的版本为首选，因此本文库又具有较为珍贵的版本价值和收藏价值。

本文库还将编选续辑，使之成为恢弘文化工程。诚挚希望读者给予批评和指正，帮助我们完善编选工作，再现三联经典作品之风采。殊为遗憾的是，由于年代久远，一些原著译编者及其后人未能取得联系并奉付稿酬，诚盼版权所有者与我们联系。祈愿三联前辈所创造的精神财富能薪火相传，为中华文化的伟大复兴增光添彩。

《三联经典文库》编辑委员会

2013 年 8 月

凡　例

一、本文库为重排本，由繁体字竖排版改为简体字横排版。

一、以忠实于原作、整旧如旧为编辑原则，对当时使用的专有名词、外文译名，以及民国时期的语言和特色予以保留。

一、原书注释如旧，编者所出的注释，均以“编者注”标明，以示与原书注释的区别。

一、对原书残缺或字迹漫漶之处，以□示代。

一、对繁简文本转换时的“如右”、“见左”一类，对应改为“如上（前）”、“见下（后）”。

一、对原书中各种错讹脱衍之处，直接订正，不再以其他符号标示。

一、对数字、标点符号的用法，在不损害原文语义的情况下，做必要的规范。

一、本文库各书均前插原书书影、原书版权页和文库版“本书出版说明”。

一、本书出版说明的撰写，以客观中立为原则，扼要介绍本书的内容、版本流转、著译编者的情况。

本书出版说明

本书是鲁迅逝世后第一部最有系统、最精辟的研究鲁迅思想的专著。通过对鲁迅作品和思想的研究和总结，以激励人们向鲁迅学习，发扬其革命的战斗精神。本书用历史唯物主义的观点，简要地刻画了鲁迅思想的发展过程，从接受进化论、尼采主义的影响到成为确信“唯有新兴无产者才有将来”的社会主义者，并以鲁迅的这一思想发展反映中国现代史的转变与进展。本书还介绍和颂扬了鲁迅对于中国文化事业的贡献，再现了鲁迅的光辉形象。

本书由光华出版社初版于1941年2月，初版名为《论鲁迅的思想》，此次出版以1949年6月的第四版为底本。

平心，即李平心（1907-1966），原名李循钺，又名圣悦、鼎声。江西南昌人。1925年在上海大学读书时接受马克思主义。曾创办《自修大学》、《现实周刊》等刊物。1946年与马叙伦、周建人等发起组织中国民主促进会。1949年后历任中国政协委员、中国民主促进会中央委员、华东师范大学历史系教授等。主要研究史学，致力于甲骨文、金文的考释工作，亦涉足政治经济学，曾发表十论生产力性质的专论文章。著作有《论生产力问题》、《李平心史论集》等。

生活·读书·新知三联书店

2013年8月

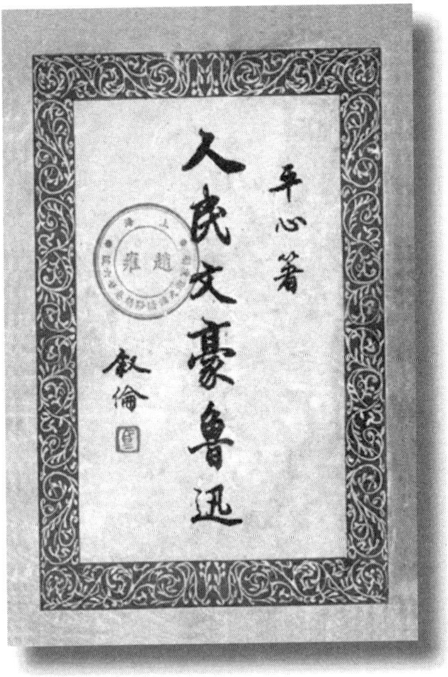

光华出版社 1949 年 6 月四版书影

△人民文豪鲁迅▽

著作人　平　心
出版者　心　声　阁
总经售　光华出版社
上海邮箱八〇九号
初　版　一九四一年十一月
四　版　一九四九年六月

△版权所有　严究翻印▽

原书版权页

目次

魯迅 一九三〇年九月
二十四日照于上海。
時年五十。

重刊献辞

鲁迅在中国现代史上的地位，不能单从文艺方面来估量；他的崇高的文艺成就，并没有掩蔽他在思想启蒙与学术劳作上所放射的光辉。假如一个民族的精神生活史常由若干先驱者的思想业绩增大它的重量，鲁迅无疑是变革中国民族精神的主要先驱者之一。

鲁迅在思想业绩方面表现的显著特点，不但在于他经常用文艺形象来表达他的批判、教化与理想，尤其重要的是，他始终是离开了个人的利益与小圈子的好恶，为人民大众喊出了不灭的心声。多难的中国民众借了他的笔，蘸着他的泪水和愤火，宣泄了自己的悲苦与欢欣，诅咒与颂扬，控诉与希望。经过了辛亥、“五四”、大革命、土地改革运动四次历史蜕变，几乎在每一个阶段都表现了他在思想文化方面的创见与进步。他的照耀现代中国精神生活的光彩，柔和而且有力，使人乐于亲近而不易忘却；这不仅因为他一身兼为艺术思想家与思想艺术家，更其因为他熟悉受苦大众的爱憎和要求，而且不断举起他的艺术武器，为人民的真理与正义作战。

我们出生较晚的少壮斗士，绝少沾染士大夫的旧习，很幸运地自幼就接触到世界思潮；我们可以自由挑选思想学术的新兵器，因此不易了解上代的老战士在精神战斗历程中的艰难。假如让我们出生在鲁迅时代，整个心身背负了古旧的社会积习与精神传统；要赶上时代的潮头，不光要跟旧社会苦战，同时还得跟压在自己灵魂上肉体上的厚重历史沉淀物争斗；这岂但需要过人的勇气，还少不了出众的识力；而这种勇气与识力又必须富有持久性与坚韧性，越是经历磨难，越能爆开照人的火花。让我们数一数跟鲁迅同时代的人物吧，究竟有几人具备了这些条件，自少壮到老死始终成为大众的发光体，从不吝惜他们的心光愿力，一切为了人民，一切献给人民的呢？根据这样的结算，我们对于鲁迅的崇仰和感激，就不是用文字言语所能表达的了。

这个巨人好像是专为打扫人间污秽增添人间美丽而

来到这世界。他不止是第一个深刻的民族自我批判者，同时又是社会变革的预言者和新生力量的护持者；他的成就是超于文字语言之上的。

我愿为鲁迅作见证：是他，用温情与智慧哺育了无量青年，是他，驱除了咬痛青年灵魂的苦闷与寂寞。我自己就是曾受他的润泽的一个。直爽地说，我并不震惊于他身上显耀出来的世俗的所谓渊博，中国近代在学术成就上足以和他比肩甚至在某些方面超过他的人，不是没有，但像他一样，以忘我的大无畏精神，充当人民代言人与革命大护法，开创一代文化新风气的不朽作家，在中国还不易找到。使我们忘记不了的，是他始终不以知识与文字为猎具，为玩物，而一直是利用它们作为战取人民解放的武器。他刻画黑暗世态和描绘光明风景的笔触是那样犀利有力，深深地掘进了旧社会的腐烂灵魂，也照亮了人民大众首先是广大青年的心。无数战士在他的画笔下看出了旧中国死灭之前的绝望，也看出了新中国必然胜利的希望。用新生的希望抗击老衰的绝望，这就是中国人民求生的道路。照耀这道路的鲁迅，与其说是高悬夜空的孤星，不如说是燃烧在人民中间最大的不灭火炬。这枝火炬跟无数民间的爝火联结起来，顺着新民主的风向越烧越旺；而这正是鲁迅越战越韧的强毅精神的不朽象征。

鲁迅由一个主张“人性解放”的自由主义者进步而为要求“生存、温饱、发展”的民主主义者，到了晚年，更进步而为确信“惟有新兴无产者才有将来”的社会主义者，这是中国人民进步与社会转变的明确反映。一个自由主义者只要有眺望历史远景的勇气和珍视人民利益的热忱，他迟早会找到历史最高的真理。闻一多说过：“从前我们在北平骂鲁迅，看不起他，说他海派，现在我要向他忏悔，我们骂错了；鲁迅对，我们错了。”这话不但表现了一个人民战士追求真理的谦虚美德，同时也指证了历史的真理具有雄伟无比的说服力量。由于先后接受了这说服力量，鲁迅成了人民大众的辩护士，闻一多成了民主运动的殉道者。

从鲁迅、闻一多诸往哲身上，我们看出了中国人民的革命路向，也看出了中国人民争取民主解放与民族独立最后成功的必然性。我们与其消极地说，他们的死是不可补偿的巨大损失，不如积极地说，他们的不死是民族光明的不竭泉源。（类似的话我在本书“初版自序”中已经专为鲁迅说过，这里愿重复一遍，意思是要强调鲁迅、闻一多都是同一类型的人物。）说他们不死，并不是一句过分恭维的世俗老调，而实在是有历史的真实性的。因为他们是永远属于人民的作家；当做历史的创造力量来看，人民几曾死灭过呢？

我从没有亲近过鲁迅本人，只不过读过他许多并不合于“正统”文士所谓“温柔敦厚”的标准的著作。我好像感触到他的跳动的心脏，至今还依稀检得出留在他的书里的泪痕。我从不无条件地崇拜一个人，对于鲁迅也是一样。但我承认，我是承受了他的一部分遗产的。我珍爱这份遗产，正像我珍爱世界许多大思想家大文学家的遗产一样；因为它除了给我以不灭的智慧而外，还给我以无穷的勇气。当我蛰居孤岛秉烛待旦的长夜，由于四周空气的窒息与住所典籍的便利，我读了许多佛经与古书；使我不致冻结前进热情蹈于空虚消沉的，除了抗战胜利的确信，欧美革命大师与民主先哲的文献和中外革命史知识而外，就要算鲁迅的遗著了。这其间，我断续写了有关鲁迅的论文约十数万字。结集在这里的，是研究鲁迅思想较有系统的专论。一九四一年曾由上海长风书店出版，书名是《论鲁迅的思想》。太平洋战争爆发后，全部书版遇毁，不复重刊。现在承蒙长风主人徐履堂先生慨允我将原书收回重印，感激与喜慰之情交融一片。书名改为《人民文豪鲁迅》，是用来纪念鲁迅逝世十周年的。我愿以这书献给不甘沦落追求光明的青年，跟我一同呼吸人民英雄的气息。

平　心

初版自序

伟人们在死后比生前容易被人了解，也容易被人曲解，那差不多成了历史通例。一千五百多年前，晋朝猛将刘希乐说过一句名言：“大丈夫盖棺事方定”；然而对于死去的“大丈夫”了解的有人，曲解的也有人，就可知“盖棺论定”说未必完全可靠。那理由并不难明白：人对于人的评价，自来就不是单单以被评价者的死来做最后界线的。人当活着的时候，是社会动物，常识早已这样告诉我们了，但某一个“社会动物”倘在人间留下了巨大影响，他的成败、功罪、是非、荣辱，却也并不因为他的死而泯灭了其社会意义；一切这些，照例由历史结算在他生前所代表的社会阶级的流水账簿上。他将永远被人们从各自不同的阶级地位、时代需要和观察角度来衡量，来褒贬。若要举实例来说明，孔子就是值得提起的历史人物。这个被尊为“万世师表”和被封为“素王”的“圣之时者”，已经死去二千四百多年了。但关于孔子，不是在各个时代和各个人群中没有一个统一的定论么？且不说最早儒墨道诸家对于孔子的臧否，就拿晚近的中国思想史来看：在清末，提倡政治维新的康长素把孔子捧做教主，而高唱种族革命的章太炎则把孔子讥为“国愿”。（虽则他仍然颂扬孔子在文化史上的功绩。）一到“五四”时代，就一面有以吴虞、钱玄同等为代表的反孔猛将高呼“打倒孔家店”，一面有以林纾、王敬轩等为代表的卫道大家痛斥“诋毁先圣，蔑弃圣书”的“妄人”。看看最近的文坛和艺坛，关于孔夫子，又有议论纷纭的评价了。在曲阜孔德成先生由“衍圣公”改称为“大成至圣先师祀奉官”已历六寒暑的今天，孔子仍然成为一个问题中的人物，这就连善于“推进化之理”，“预知后世”（康有为语）的“大成至圣先师”自己也料想不到吧。

论者曰：孔子去今太远，近人对于他不能得到一个统一的评价，那原是不足怪的。但人们对于去今未远的先哲，又何尝容易作出一致的论断呢？被尊为中国人民国父的孙中山先生，死去只有十六年，然而把孙先生当做孔孟道统的继承者有人，把孙先生当做马克思主义的驳倒者有人，把孙先生当做社会主义运动家的有人，甚至把孙先生当做“东亚新秩序”的首倡者也有人。自然，除他们的论点而外，我们还看到另外一种解说中山先生的主张，那就是认为这个巨人是中国民族解放和民主革命的伟大导师。关于中山先生的论断，是如此复杂而纷歧，这在善于研究中国现代历史的人，是原不必以为不幸的。

另一个去今更近的先哲鲁迅先生，活着时被人迫害了侮蔑了大半生，然而一到他死后，连原先迫害过他侮蔑过他的“正人君子”和“绅士淑女”也化敌为友，起来尊敬他、颂扬他了；是故意表示他们的大度呢，还是“谬托知己”借以自衒呢，我不得而知，但无论如何，我们由此看到了一些特种的“两面分子”的真实嘴脸，他们用一副面孔去对付活着的死敌，用另一副面孔去对付死去的死敌。他们不仅擅长于面孔变化的艺术，也善于画歪敌人的面孔。他们连同那些以踢死狮子为荣的男女勇士，用着不同的手法把鲁迅化为谑画中的可笑人物。长眠在万国公墓的鲁迅不能张口，也不能执笔，当然奈何他们不得。可是，鲁迅的武器并没有带进坟墓里去；他遗留下来的那座思想武库不在万国公墓，而屹然耸立在人间。让我们从这武库中取出鲁迅的武器，和鲁迅的敌人泼刺战斗吧，让我们的敌人在这锋利的武器面前继续发抖吧！

我们不应奢望一切人都起来尊崇鲁迅。生活在不同社会圈子内行走在不同历史道路上的人，对于鲁迅各有各的褒贬，各有各的爱憎，那原是十分自然的事情。假如鲁迅死后只是被人尊崇，而不遭人反对，只是被人热爱，而不被人痛恨，试问鲁迅的精神何在？试问社会斗争的真理何在？

在现代中国文人中，没有谁像鲁迅那样在群众中间享受真诚的崇爱，也没有谁像鲁迅那样从敌人方面遭到切齿的憎恨。世人对于他的爱憎分明，正是他自己对于世人的爱憎分明的真实反映。但这爱憎断不是超于是非之外的。凡爱憎，一离开真理的尺度，不过是一塌糊涂的混沌。倘有人从混沌出发来衡量鲁迅，不管其动机如何，根据鲁迅的精神，他都应归入被憎之列。

当鲁迅活着的时候，和我们一同行进，一同战斗；在血肉相连中，大家甚至忘记了他的崇高和特异。在那时候，人们对于他的思想和艺术，是享受多于研究，欣赏多于学习。但是，突然间，我们失去了这个公众的导师，我们痛感到，他留下的空位是无法填补的；而他的伟大也就被更多的人和更深的心所记忆，所认识。在苦难中，大家想到了他；在战斗中，大家想到了他；在疲困中，大家又想到了他。从他离开我们以后，人们都说，他的死是不可补偿的巨大损失，但为什么不积极地说，他的不死是民族光明的伟大泉源？对于这泉源，我们还是满足于享受和欣赏呢？还是进一步去研究，去学习呢？

展开学习鲁迅研究鲁迅的运动，并且使这一运动不断深入，这就是我们当前的文化任务之一。我们一定要补偿由鲁迅的死所造成的巨大损失，不管花多少代价，费多少年月。

值得欣幸的是，在这四年间，对于鲁迅的遗产，正有不少战士在那里热烈发掘和钻研；虽说在这一方面的收获还很有限，但只要不断发掘下去，钻研下去，任何一点一滴的成绩，都有助于中国的历史变革，那是确然无疑的。

但鲁迅的遗产是属于中国人民大众的。潜心于鲁迅的思想和艺术的深刻研究，固然异常重要，而更重要的是，根据鲁迅的精神来教育大众，鼓励大众。倘有人认为大众不配和无力接受鲁迅的遗产，而要把这份遗产冻结起来，窖藏起来，还自命为得鲁迅的薪传，这样的人不过是鲁迅的叛徒，因为他连鲁迅的基本精神都给否定掉了。

然而，鲁迅的基本精神是否定不了的，被否定的，将是一切曲解鲁迅反对鲁迅的大众敌人和革命叛徒。

一面是对鲁迅严肃的学习和研究，一面是对鲁迅无耻的曲解和侮蔑，这正是今天中国文化上的重要矛盾现象之一。因此，继承鲁迅事业者的责任就更重大了，他们不仅要学习鲁迅，研究鲁迅，宣扬鲁迅，而且要忠诚地勇敢地保卫鲁迅。

保卫鲁迅的困难，不在于打击对于鲁迅的曲解和误解，防止鲁迅被人当做化石来利用，因为鲁迅的精神和思想本身就具备了抵抗这类横逆的坚强甲胄。凡“宗旨皆在可否之间，议论止于函胡之地（章太炎评论孔子语）的历史伟人，最容易被人尊崇，但也最容易被人利用，最容易被人歌颂，但也最容易被人糟蹋。鲁迅却不是这一类的伟人，他的思想和主张是如此具体而明彻，使任何妄想利用他来达到自己卑鄙目的的人，都不能不望而却步，这是一切鲁迅的卫士应当引为光荣的。但困难的是，鲁迅及其事业在生前受到迫害，在死后仍不免于此种命运，因此，倘使鲁迅的卫士没有勇气抵抗摧残鲁迅精神和鲁迅事业的逆流，踏着鲁迅的足印："敢说、敢笑、敢哭、敢怒、敢骂、敢打，在这可诅咒的地方击退了可诅咒的时代"，他就应当自动缴械，交给别的战斗者。

保卫鲁迅，和保卫中国人民，保卫中国革命，是不可分开的。

然而，保卫者如果不同时是发展者，是不能取得胜利战果的。倘说，进攻是最好的防御，则发展就是最好的保卫。鲁迅的全部遗产是历史的产物，这产物也唯有在历史的变革运动中才能不断丰富，不断更新。只有庸夫俗子对于这伟大文豪，才以寻章摘句为满足。鲁迅一生的思想和艺术都在经常发展中，他死后，发展他的遗产的责任，落在一切前进文化工作者的肩头。在他的巨大遗产面前，我们承认自己的力量是非常渺小，然而集合无数无数的涓滴，不就可以成为洪流吗？倘不冻结鲁迅的遗产，而根据历史运动的真理和经验去发展它，使它的战斗性和真实性发挥在一切方面，使我们的民族生活、革命事业和文化劳作格外丰富起来，结实起来，由鲁迅的死所引起的民族损失，不就可以因此逐渐补偿吗？今天，谁都不能否认鲁迅是不朽的，然而要使鲁迅的不朽性为我们所有，除了继续发展鲁迅外，别无其他便宜办法。

现在到了我们该对鲁迅做全面研究的时候了。我们并不幻想一切人都对他有一致认识；鲁迅的怨敌和鲁迅的卫士，根本就不可能用同一尺度来测量鲁迅。然而，在鲁迅的卫士中间，对于鲁迅做统一步伐的研究，那不但是必要的，而且是可能的。

但自然，统一的研究并非用一套刻板公式去加在鲁迅头上，那是断然研究不出什么来的。鲁迅是公式主义的最大敌人，他的思想和艺术，绝无教条臭味。凡能真正道破客观真理的思想家与艺术家，都善于最具体地最深刻地表现历史的动态，鲁迅正是此中一个典型。我们所要学习所要发展的，恰恰就是鲁迅在思想和艺术各方面的具体性和深刻性。

从鲁迅逝世以来，我对于这个文化巨人的遗作，是日益增大了阅读兴趣。我比过去任何一个时候，都更深切地感觉到，鲁迅是每一个青年所不可少的导师。以前为我匆匆涉猎过的鲁迅作品，现在不断在我面前跳出了许多为我先前所未发见的真理，它们把我引到了思想的巅峰，把我带到了历史的深谷；我不能抑制住自己的兴奋，于是动了研究鲁迅的念头。我曾把自己对于鲁迅的认识写在几篇专论中，其中较长的，为《思想家的鲁迅》（一九三八年作，是纪念鲁迅逝世二周年的，那是鲁迅座谈会讨论鲁迅思想的结果，我不过是一个论文执笔人，所以署名“鲁座”）、《鲁迅的思想遗产》、《战斗的现实主义者的鲁迅》、《启蒙主义者与民主主义者的鲁迅》、《民族主义者与国际主义者的鲁迅》（以上均发表在一九四〇年，是用以纪念鲁迅诞生六十周年的）。后三篇彼此间有联系，所以结集成为一本较有系统的专论鲁迅思想的小书，而最早发表的一篇则刊在书后，作为附录。现在，我把这书作为一份小小的祭礼，献给逝世已经四周年的鲁迅先生，同时也用以纪念他的诞生六十周年。我并不以为他有什么在天之灵，希望他含笑领受我的礼物；我最大的愿望，是对这巨人的思想多少做了一点并不歪曲的解说，以加深学习鲁迅，研究鲁迅的运动。自然，我还奢望这小书能够在保卫鲁迅，发展鲁迅的斗争中尽一点哨岗作用。

鲁迅不仅是一个思想家，也是一个艺术家，本书专论鲁迅思想，而很少涉及他的艺术，那是因为我对于艺术完全是一个门外汉的缘故。如其时间容许我将来附带学习艺术，我或许能够对鲁迅做一个较为全面的研究吧。但现在，关于鲁迅艺术的研究，只能期待于专家了。

写到这里，我的序文已经可以完结了。但一阵夹杂着感想的回忆忽然涌上我的心头，还想趁此再写几句。

记得去年八月三日在一个纪念鲁迅六十诞辰的纪念会上，我做了一点关于鲁迅的报告，其中有一段论到鲁迅与孙中山先生，大意和本书第二章第一节第三段所说的差不多。但不久我就在《文阵丛刊》中看到“我的朋友”

之一（这里所加的引号，是用以标明这四个字有其历史来源——例如：章衣萍先生说："我的朋友胡适之"——，而并不含别意。我要郑重声明，我所要提到的"之一"，真是不折不扣的我的朋友）发表了一篇《关于鲁迅杂想》，那篇杂想开头的一段是：

> 鲁迅还是鲁迅。把鲁迅比拟于孙中山大可不必（中略）以是而论列鲁迅，未可谓为知鲁迅。善哉，鲁迅之言曰：伟人一做了化石，那就无往而不被欢迎，伟大了。
>
> 鲁迅先生必然憎恨那些以化石视鲁迅的人。

真是说得毛骨悚然。我立刻就联想到了我在八月三日的演讲了，我当时的确将鲁迅先生和孙中山先生一同论列过。"我的朋友"决不会无的放矢，他一定有所指。然而，翻读许多刊物，都找不到他所要射的"的"，唯一可能或为他所指的"以化石视鲁迅的"第一类嫌疑犯的（尚有第二第三类，不在本文所说的范围之内），舍我其谁。但我引为诧异的是，在我的演讲中，哪里来的“把鲁迅比拟于孙中山”的怪论。想起来，大概是由于“我的朋友”听到了不负责任的曲解或讹传，于是根据此类曲解或讹传判定我“以盘喻日，以柱喻象”（引自“我的朋友”的同一文）吧。在我们周围，是常有这类好事者的，他们唯恐文化界没有风浪，惯会摘举别人的片言只语，照自己意思曲解，却要别人负起错误的责任来，倘因此激起一点文坛风波，就引为快意，因为他可以“观斗”（更下流者还会造谣诬蔑，乱放冷箭）。但自然，也有人并无恶意，只因为一时的错觉（听错或看错），就把别人的说话或文字讹传了，而实际上，被讹传的言论当然同样要无辜地负起错误的责任来。“我的朋友”所听到的，是好事者的曲解呢，还是好意者的讹传呢？我不得而知，但总之，他所听到的，不是真实，而是走了样的话片。在我引为小小的遗憾的是，他的那篇《杂想》可能被某些好事者当做“余兴”来看。而他所下的断语，也略为过火了点，因为即使有人把鲁迅和孙中山相比拟（我很同意史达林对路德维希〔此公曾把史达林和彼得大帝相比〕所说的话：“任意把一个人和另一个人比拟，是很危险的。”因此，我不赞成这样的比拟），为什么就是“以化石视鲁迅”呢？把伟人当化石来看的人，是要凝固伟人的一切，是要利用被他僵化的伟人来达到其自私目的，鲁迅的确憎恶这样的人。但如其有人把鲁迅和孙中山相比拟，他虽然不对，似乎还不至于被归入这样的人物之列吧。我是敬重“我的朋友”者之一，我希望他以后下笔臧否人物论断是非以前，多经过一番考虑。而实际上，“我的朋友”是评论高手，他的一时的疏忽，真是所谓“智者千虑，必有一失”；而我希望他连这“一失”也给戒免掉，确乎近于苛求了。

然而我的本意却不在苛求，也不在答辩。只因为谈到鲁迅，而触动了一二点从回忆中跑出来的感想，把它们记录下来，就算是本书序文的一点“余兴”。好事之徒或许又可从这里找到一点新的资料吧，但我哪里管得了许多！

平　心

一九四一年六月一日

第一章　战斗的现实主义者的鲁迅

第一节　引言

一切伟人出现在时代的顶巅，适应历史的需要，作为广大群众的代表而战斗，而工作，从整个历史发展过程看来，完全是一种必然。但是，某一个特殊伟大人物，刚好在某一时代，某一民族出现，以其特有的精力、品格和行动影响历史，在史页上留下一抹异彩，却又是一种偶然。中国在封建宗法社会没落过程中，在殖民地化过程中，在向新社会转变的艰苦途程中，必然产生适应民族解放需要的革命知识分子，并且必然从旧社会的游离分子中征发积极敢为英睿正直的特出人物，充任民族民主革命的旗手和参谋；最近二十年来大批知识分子投奔革命前线，就是显明的实证。然而，在这个历史蜕变过程中，一个从旧社会和仕宦家庭出身的知识分子，由于特有的遭际和修养，靠着出众的天才与努力，凭借文艺工作和思想活动，在许多同代的文人学者倒退、落伍、升官、退隐的浊潮中，始终高举战旗，作为中国人民的卓拔精神代表而苦斗，而呐喊，在现代的中国文艺界中找不到第二个人，这就不能不惊叹鲁迅的特异和伟大了。鲁迅不幸而出生在中国，使他的天才和工作不能发挥到可能达到的极境；但是，他又幸而生在中国，因为他目击到和参加了中国特有的民族剧变的巨大场面。

关于鲁迅，有着各式各样的比拟。最通行的一种是把他比做高尔基。此外，还有人把他比做果戈理、萧伯纳、伏尔泰。

“中国的高尔基”，这是对鲁迅一种极流行的尊称。是的，中国只有一个鲁迅，正像苏联只有一个高尔基一样。虽然鲁迅自己曾经很谦抑地说过他远不能跟高尔基相比，但我们总不能否认在这两个巨人之间有着许多相似之点。他们都是国际无产阶级的伟大文化斗士和劳苦大众的亲密朋友，他们都是平民的现实主义艺术巨匠，他们都是由旧社会奋斗出来而成为旧社会的铁硬反对者，他们都各自领导一个大国的革命文艺运动，他们都以全力哺育从事革命文化工作的青年，他们都不是仅仅属于一个国家而是属于全世界的文豪。可是，不能在这两个伟人中间画一个等号。高尔基跨过地主资产阶级统治的旧俄罗斯，穿越十月革命，笔直的走入劳动大众主宰的社会主义世界。他很幸福地亲自接触到最多彩，最多变的历史风景，他的大半生的流浪生活使他能够积贮最丰富最现实的创作题材，前辈（如珂罗连珂、契科夫等）的文艺指导和旧俄的写实主义艺术传统使他在创作生涯中获得了不少便利。因此，高尔基能够用大部分精力描绘他亲历的俄罗斯巨大转变的画卷（他的自叙传三部曲和巨著《萨姆金的一生》以及其他小说戏曲等都是俄国社会动乱的真实史画），他的多产的创作生涯和他所处的特异的社会生活是联结得不可分开的。但鲁迅是生长在十九世纪到二十世纪的中国，这是一个背负着吃人的封建社会僵尸的苦难国度，是一个饱受着异族欺凌和帝国主义践踏的愁惨国度，同时也是一个酝酿着叛乱、复仇和起义的革命国度。他不断在顽石般的旧社会残骸之下挣扎着，搏击着，不但要击退周遭吞噬人民大众的黑暗势力，而且要挣脱那网住他自身的古老传统。他的教养环境和生活圈子使他长时期不能找到战伴，而不能不寂寞地做孤军的困斗——一直到晚年，他才寻觅到了步伐一致的战斗队伍——因此，在他前期的作品中浮泛着浓厚的渴望光明的忧郁色彩。正因为他是处在这样的一个社会环境中，中国民族的多难和战斗喊声的稀微，使热情的他不能支出很多时力从事长篇巨制的创作，而只有选择最善于直接攻击黑暗和打开民族血路的武器来冲锋陷阵，这就是为什么杂文成了他最主要最精炼的写作体裁的缘故。中国急迫的民族革命和苦难的大众生活在精神上需要鲁迅式的白刃战，正像俄国的壮丽战斗场面和漫长革命行列在精神上需要高尔基式的壕堑战一样。（自然，鲁迅也是主张壕堑战的，他劝青年“常抗战而自卫”，就是此种战术的说明；但鲁迅的 Feuilleton〔社会杂文〕的确是最便于短兵相接的武器；高尔基有时也作白刃战，他也写过许多尖锐的社会论文，但他的庞大的艺术制作是大众进行壕堑战最好的武器与食粮。）

鲁迅和果戈理与萧伯纳，自然也有几分相像的。果戈理和萧伯纳暴露上层社会的鄙陋和丑恶的笔锋，在鲁迅作品中也时常可以看到。鲁迅的机智与讽刺在某种程度内受了这两位文豪的影响，大约是不成问题的。但鲁迅对于他们两个人的观感却不相同；对于果戈理，是歆动于他的剥露旧俄罗斯的写实主义画笔，而对于萧伯纳，是倾心于他的撕掉绅士假面敢为正义发言的泼刺精神。从思想上说来，果戈理虽然无情地描绘了愚钝可笑昏愦无聊的旧俄罗斯的真实面影，虽然对被凌虐的下层民众（农奴等）流露了醇厚的同情，但他不是坚定站在被压迫大众方面对黑暗势力挥剑的，他没有勇气攻击绅士地主资产阶级的社会到底。他晚年焚毁自己的稿件，就是对于先前暴露旧俄的写作表示忏悔的变态行为。鲁迅对于旧社会是到死不宽容的，他用“一口咬住了不放”的勇烈精神攻击黑暗势力，并且始终为了被压迫大众呐喊，这种顽强的战斗精神在果戈理的生活与思想中是找不到的。至于萧伯纳，诚然是上层社会无情的暴露者，并且敢于抗议黑暗对光明的进攻，他的全部作品正像鲁迅的作品一样，是最使正人君子、绅士淑女头痛的；但萧伯纳应当认为是资本主义社会中有正义感的作家，他的工作止于暴露与讽刺；而鲁迅应当认为是被压迫民族的战斗思想家，他的工作愈到后来，愈深入于无产大众的战垒。自然，上面的比较不是从艺术的角度出发的。

把鲁迅比做伏尔泰（有人译作福禄特尔）的，乃是斯诺（《西行漫记》作者）。他以为鲁迅高呼反抗，反对宽恕，是跟伏尔泰一样的。鲁迅的《阿Q正传》和伏尔泰的《干地德》（*Candide*）同样是富于反封建反愚昧的启蒙意义的力作。伏尔泰的作品曾经燃起了法国革命，鲁迅的思想也是中国革命的引火物（大意如此）但是，鲁迅和伏尔泰其实有极大的差别。伏尔泰虽然反对残余的农奴制度和封建专制主义，憎恶贵族僧侣和阶级特权，然而他所憧憬的，不过是开明的君主立宪政体，他根本就看不起被压迫的劳苦大众，而且他不能坚持自己一贯的战斗立场。他早年以无神论者猛攻宗教，一到了晚年，便公然拥护宗教，就是要用资产阶级的精神枷锁来套住沸腾的贫苦大众的心。鲁迅一开始就猛烈袭击封建社会，他以毫不妥协的战斗精神争求人民的彻底解放，他更同情和尊重被侮辱被损害的劳动大众，后来竟热心于无产阶级的解放事业，他不但没有丝毫动摇过他护卫真理与正义的反抗精神，而且愈到后来，愈加磨锐他的战斗锋芒，他是不宽容黑暗势力与愚昧浊流的矫健战士。他的坚毅人格是和愈老愈衰的伏尔泰完全两样的。假如伏尔泰不过是卑怯的自私的资产阶级的思想代表，则鲁迅便是刚强的正直的劳动大众的精神导师。这种差异不能简单归因于两个人的气质，而应当归根于革命时代的不同。

把鲁迅和外国的历史伟人比较，必须首先打破没出息的民族自卑心。很有人以为鲁迅之被尊为国际文豪，是由于中国文坛太荒凉，不能不把鲁迅捧出去与世界文豪并列。这不仅是对于鲁迅的轻蔑，而且是对于中国民族的侮辱。在中国光辉的民族解放运动中，产生与世界伟人比肩的杰出人物，决不是什么奇怪的事情。不论从艺术、思想、战绩哪一方面来说，鲁迅在国际间都自有其不朽的地位。一切人种偏见者纵使任意颠倒历史的是非，然而决不能长久垄断大众的爱憎。中国和一切被压迫民族的历史伟人总有一天深入全世界革命大众的心。历史将证明鲁迅是属于世界的。事实上苏联人民和世界进步分子不是把鲁迅的死当做世界的损失而表示深切的哀悼吗？只有那些“完美的苍蝇”才不量力地想用自己污臭的薄翼来荫蔽伟大战士的不灭豪光。

但是，研究鲁迅，不能离开他所生存的民族环境。割断鲁迅思想和世界的联系，固然是浅薄而荒唐，一味按照一般的公式对鲁迅思想作抽象的评价，也是浮泛而不实的。正像鲁迅自己说过的，他是“一个中国人”，他的全部著作与事业不但是以中国民族的革命需要为根源，而且渗透着中国特殊的优秀传统，呈现着中国特殊的民族风格。鲁迅的思想是中国多彩多样的民族自觉运动与民族战斗生活的生动写照，转过来又推动中国的革命轮索。鲁迅接受了中外最丰富最精粹的文化遗产，而又保留了中国民族的进步的特质。正因为这样，所以他是第一个中国化的世界思想家。

第二节　鲁迅的战斗现实主义的根源

中国伟大的民族解放运动必然推动无数知识分子参加革命行列，鲁迅之成为中国人民的崇高导师，正是客观的革命要求发展的必然结果。然而一个人的思想和战绩是不能仅仅拿客观的自然规律来说明的。同是“五四”运动以来的文化革命运动中的人物，为什么到了后来，有的落荒而逃，有的望风而降，有的洁身而退，有的食人而肥，独有鲁迅等二三战士（如李守常等）始终掮着革命的大旗而作战到死呢？为什么在千万文化人中，唯有鲁迅能够长期成为中国人民的最有权威的思想导师呢？机械论者把他的全部业绩一概归因于客观环境，是和唯心论者把他的一生成就完全归因于天才一样不正确的。诚然，鲁迅是历史的产儿，他的思想是现实的反映，然而不能否认，在他的不断前进的过程中，他的主观的能动的精神力量对他自己对于时代起了强有力的作用，虽然这种精神力量归根说来，仍然不外是社会关系的产物。一切能够对现实世界作亲切的忠实的观察的人物，他的思想总多少反映客观的真理，因此在欧美资产阶级上升时期，我们能够从资产阶级和小资产阶级的队伍中找到不朽的思想家；同样，从殖民地和半殖民地出身于旧社会的人物中，也能够找到最进步的思想家。但自然，假如不是处在世界无产阶级革命时期，要从落后的被压迫民族之中产生最健全的革命思想家是不可能的。鲁迅的一生如果没有接触到世界革命的巨潮，他仍然可以成为旧中国一个有智慧有正义的天才文人，但不能成为无产阶级的思想战士。正因为他是处在中国革命运动突飞猛进的时期，他的思想浸透着中国和世界亿万群众所服膺所支持的革命真理，他才能够成为中国和世界革命大众的灿烂明星。但是，时代的进步并不能减小鲁迅的伟大。假如他不能顽强摆脱那网住他的旧社会的因袭力量，不能持久反抗现实的黑暗势力，不能深刻体察大众的革命要求，他必然“用自己所手造的和别人所帮助的墙，和时代隔绝了”（《且介亭杂文末编 · 因章太炎而想起的二三事》）。他的天才也必然为旧社会服役。在中国人民争自由，争进步的光荣历史上，将看不到鲁迅这不朽的名字。鲁迅之所以不朽，在于他不仅自己动手猛攻旧中国的黑暗牢狱，而且不断号召人民大众攻打这座牢狱；在于他不仅用笔触用喉舌表达了中国民族的战斗，而且传布了最下层的大众的革命战叫；在于他不仅始终站在时代的第一线提出了中国人民的解放要求，而且直接参加在战斗中去努力实现这些要求。如果要问，什么是使鲁迅能够肩负起大众导师的任务的主观力量呢？这就是他的不断把握现实，深入现实和变革现实的求真精神和战斗要求，这就是他的始终一贯的战斗的现实主义。这种现实主义使鲁迅不断前进，使他的思想包含许多不自觉的辩证法唯物论成分，最后使他走入无产阶级革命的阵营。

由旧社会折磨所引起的痛苦可能使人由屈服而变成无耻奴才，可能使人因麻木而变成庸夫俗子，也可能使人由反抗而变成坚韧战士。鲁迅是属于后一类的人物。他从小饱尝了冷酷凶残的旧社会的欺凌和迫害，但他绝不从个人的命运出发来找寻自己痛苦的根源。他从有社会意识的那一天起，就深深地敏感到他周围的人物以至整个的民族国家都生活在冰冷阴暗的深渊中，生活圈子愈扩大，他对人生对社会的观察愈深刻，愈细密，他把自己所受的痛楚和民族的大众的苦难联结起来反复思考分析，终于养成了他冷静触摩现实，热烈抚爱大众的优秀习惯。因为他自身就是被侮辱被损害的一个，对于旧社会的荒淫残酷与愚昧昏庸看得最熟悉，最透彻，所以他“毫不可惜它的溃灭”（《二心集》序言）。又正因为他觉察下层大众的挨苦受罪和诚实可爱，使他对劳苦大众表示深切的同情，后来“由于事实的教训”，使他“以为新兴的无产者才有将来”（同上）。因为他的对旧社会的憎恶和对下层大众的热爱不断交织着，就炼成了一种报复的反抗的和自我牺牲的坚毅性格。他的做学问，做事业，都从辨明是非，分别憎爱这个枢轴出发，所以很自然地会走到革命大众所应走的道路。但是，他是一个最有自知之明的战士，他深知旧社会的残暴可怕，要靠一己的一时热情冲动去反叛岩石般的旧社会，是一定吃亏而不得到战果的，因此他极力把自己的热情凝缩在冷静的工作中。（欧阳凡海在《文学》中已经表示过这样的意见：大意说，鲁迅的热烈的情感是隐藏在冷静的观察中，这是很对的。）他懂得“常抗战而自卫”的战术（《两地书》）。**深刻体验现实，沉着迎战敌人，虚心改造自己，诚笃接待大众**，这些就培植着他的战斗的现实主义精神。他的主观的现实主义精神一经接触到工农大众革命的动景，就使他坚定地献身于无产阶级的解放事业。自然，鲁迅的现实主义是不断在向前发展的；他的战斗人生观愈到后来，愈加积极，愈加泼剌，就因为他的现实主义的世界观在不断高扬，不断深化。

鲁迅的现实主义最触目的表现在他的文学与艺术制作中。谁也不能否认，鲁迅是中国第一个开创现实主义文艺的巨匠，他的创造典型的才能和刻画世态的笔触，使他的创作洋溢着从死文学解放出来的奔腾沸涌的活力。恩格斯说："现实主义并不是仅仅重视细琐事物的确切描写，而主要的是在于正确地在典型环境中描写典型人物。"鲁迅正是"在典型环境中描写典型人物"的现实主义的天才作家。当别人还在破坏旧文学传统尝试新文艺创作的时候，他已经开始了现实主义的文学建设，《狂人日记》、《阿Q正传》等作品就这样奠定了中国新文学的初基。他的投枪似的文笔一开始就使旧社会各色各样的鬼魅惊心胆战，因为它击中了腐烂的旧社会的疮疤和要害。他的现实主义的文学遗产在中国以至在世界将是永远不朽的，永远光芒万丈的。

但鲁迅的现实主义决不仅仅表现在文学和艺术制作上。在这个巨人的全部生涯中，都炽燃着熊熊的现实主义火光。文学和艺术制作只不过是他的现实主义表现的一种形式。他曾自白了他写小说的动机与任务：

> 例如说到“为什么”做小说罢，我仍抱着十多年前的“启蒙主义”，以为必须是“为人生”，而且要改良这人生。我深恶先前的称小说为“闲书”，而且将“为艺术的艺术”，看做不过是“消闲”的新式的别号。所以我的取材，多采自病态社会的不幸的人们中，意思是在揭出病苦，引起疗救的注意。(《南腔北调集·我怎样做起小说来》)

他对于“病态社会”观察得最透彻，他不能沉默。他要“疗救”病态的社会，在他早年的生活环境中，唯有挥动他那枝灵动而犀利的笔。假如他不是自始注视和触摩复杂的残酷的现实，他或许没有任何写作，即有文章，也不过是平庸干枯的东西而已。因此，**并不是因为他先有文艺生活，然后才有现实主义的精神，而是先有现实主义的精神，然后才有锋棱惊人的文艺成就。假如把鲁迅的文艺比作疗救疾病的温泉，那么，他的博大渊深的现实主义精神就是熔融岩石的地热**（Subterranean heat）。岩石般的现实世界在他的现实主义热力灼烧之下，都融解成为岩浆，他那渗入现实的地壳罅痕的情感、思考、想象和理解，就沸腾成为温泉。文艺是鲁迅现实主义的表现形式之一种，正如温泉只是地热的表现形式之一种一样。

鲁迅现实主义的批判性和战斗性一开始和封建专制主义的狱门相碰击，就爆出了奇丽的革命火花。正如启蒙时代的欧洲市民革命运动，是从争取人性解放和人权保障开始一样，鲁迅的初期的写作活动也是从“人”的发见和“人”的保卫出发的。在论及中国文学革命运动时，他曾指出初期革命文学的特征说：“最初，文学革命者的要求，是人性的解放，他们以为只要扫荡了旧的成法，剩下来的便是原来的人，好的社会了，于是就遇到保守家们的压迫和陷害。”（《且介亭杂文·〈草鞋脚〉小引》）鲁迅就是最早提倡人性解放的文学革命者。

抽象的人性解放论本来是一切启蒙时代的文艺思想所依附的社会观。在中国，这种要求人性解放的文学运动，反映着反封建和反帝的民族解放战斗的勃兴。在封建黑暗势力和外来侵略势力的笼罩之下，人民蠕动在死水般的愚昧精神生活中，他们背负着“旧的成法”，不能自由思想，自由活动。生活上是封建统治者和帝国主义的牛马，精神上是少数寄生虫和异族侵略者的奴隶。当无产阶级还未自觉地跃上革命战场的时候，农民只是颠扑在绝望的叛乱与惨酷的失败中，不能有大作为；先天不足的民族资产阶级没有力量坚决领导反封建、反帝的革命运动，在文化思想上反而时常倾向于对旧势力的妥协。在这时候，就只有进步的小资产阶级知识分子起来用科学思想对抗封建守旧势力的愚民统治。他们要在思想上动摇那古旧传统的万里长城，不能不开展一个反守旧主义的理性运动。这表现在鲁迅的文字中，就是坚决反对“脱屣尘埃，惝恍古国”（《坟·摩罗诗力说》）的幻梦，要求建立“举一切伪饰陋习，悉与涤荡”的“人国”（《坟·文化偏至论》）。诚然，鲁迅在当时只是孤军独唱，他的对旧社会的攻击也不过“如一箭之入于大海”（《华盖集续编》），没有什么回响，但从他的论文中，不难看到他的早年思想是流动着人本主义与现实主义的血液。

第三节　鲁迅的现实主义的主要内容

流产的资产阶级的维新与革命，没有摇动顽强的封建奴役制度，更没有摇动帝国主义在华的统治力量，在半封建半殖民地的生活的死水中，很少有起来“冲破一切传统思想和手法的闯将”（《坟·论睁了眼看》），流行着的卑劣习惯，却是“不敢正视各方面，用瞒和骗，造出奇妙的逃路来，而自以为正路”（同上）。对于麻木的一群，是一切“无问题，无缺陷，无不平，也就无解决，无改革，无反抗”（同上）。这种漂浮着愚昧和怯弱的“瞒和骗的大泽”阻绝中国民族进步的大路。为着要打破那包围人民大众的阴冷和黑暗，为着要冲破逃避现实和隐瞒现实的传统恶习，鲁迅高举了现实主义的火炬，他大声叫出来了：

> 真的猛士，敢于直面惨淡的人生，敢于正视淋漓的鲜血。（《华盖集续编·纪念刘和珍君》）

正视现实的战士，是跟一切“逃避现实”、“屠杀现在”、“超时代”的反动势力势不并立的。凡是厌恶现世的人们，“都是现世的仇雠，他们一日存在，现世即一日不能得救”(《华盖集 · 杂感》)。实际上，那些厌恶现世的人虽能妨碍社会的进步，然而决不能阻住历史的车头。他们的空想只是证明了自身不能免于没落的命运。鲁迅斥责了那些“屠杀现在”的复古妖孽，同样也攻击了那种超时代的反动空想：

超时代其实就是逃避，倘自己没有正视现实的勇气，又要挂革命的招牌，便自觉地或不自觉地必然地要走入那一条路的。身在现世怎么离去？这是和说自己用手提着耳朵就可以离开地球一样地欺人的。(《三闲集·文艺与革命》)

在论及“第三种人”时，鲁迅同样斥责了他们的超现实、超政治的空谈，他说：

生在有阶级的社会里而要做超阶级的作家，生在战斗的时代而要离开战斗而独立，生在现在而要做给与将来的作品，这样的人，实在也是一个心造的幻影，在现实世界上是没有的。要做这样的人，恰如用自己的手拔着头发，要离开地球一样，他离不开，焦躁着，然而并非因为有人摇了摇头，使他不敢拔了的缘故。（《南腔北调集·论第三种人》）

“屠杀现在”的僵尸，大抵是属于封建剥削集团和守旧的资产阶级，而自命“超然于政治之外”的“第三种人”，大抵是属于落后的小资产阶级。但他们阻滞变革现实的革命运动是一样的。他们都不愿和不能正视现实，都自觉地或不自觉地掩饰黑暗的现实；不过“现在的屠杀者”是以复古主义为逃路，而“第三种人”则是以自由主义为逃路罢了。

许多逃避现实的人鄙视现在，他们把自己的“美妙理想”寄托于遥远的将来，但是他们不知道：“将来是现在的将来，于现在有意义。”（《且介亭杂文》）把将来和现在切离开来，那明明是企图转移大众注视现实的目光，和迷恋骸骨的复古分子是同样有害于社会进步的。

鲁迅斩钉截铁地昭告青年说：

仰慕往古的，回往古去罢！想出世的，快出世罢！想上天的，快上天罢！灵魂要离开肉体的，赶快离开罢！现在的地上，应该是执着现在，执着地上的人们居住的。（《华盖集》）

又说：

但为现在抗争，却也正是为现在和未来的战斗的作者，因为失掉了现在，也就没有了未来。（《且介亭杂文·序》）

然而鲁迅并非只执着于现在而忽视将来的，他坚决地相信，未来的中国与世界是必定优胜于现在。虽然他最初仅能从进化论着眼，对于“新的社会的起来”，只是热烈的“希望着”，而“不知道这新的该是什么”（《且介亭杂文·答国际文学社问》），但他对于未来并不绝望，他总不断憧憬着那未来的新社会的远景。因此，他痛恨那“屠杀了现在”也“屠杀将来”的僵尸，以慈母似的心怀高呼“救救孩子”，以导师般的热诚指引和勉励青年。少数青年的堕落与欺骗并没有动摇他对青年一代的热爱与希望。当他自觉地用阶级论代替了他过去的进化论时，他把自己对于未来光明世界的希望寄托在新兴无产者身上。他所理想的新社会，已经不是抽象的“好的社会”，而是真正能够使人“生存”，使人“温饱”，使人“发展”的无阶级社会了。

在现实世界，分明对立着光明与黑暗两种势力，敢于正视现实的人应当清醒认识，历史是决不会让光明势力永远消退，任黑暗势力永远存在的，就因为要求“生存”、“温饱”和“发展”的人类永远存在，这存在便是未来光明的火种。鲁迅的明确的历史现实主义使他在大革命风潮中对民族与社会的前途表示了乐观的预见：

> 我们所可以自慰的，想来想去，也还是所谓对于将来的希望。希望是附丽于存在的，有存在，便有希望，有希望便是光明。如果历史家的话不是诳话，则世界上的事物可还没有因

为黑暗而长存的先例。黑暗只能附丽于渐就灭亡的事物，一灭亡，黑暗也就一同灭亡了，它不永久。然而将来是永远要有的，并且总要光明起来：只要不做黑暗的附着物，为光明而灭亡，则我们一定有悠久的将来，而且一定是光明的将来。(《华盖集续编 · 记谈话》)

在另一处，他论到北京大学，曾说过这样的话：

我不是公论家，有上帝一般决算功过的能力。仅据我所感得的说，则北大究竟还是活的，而且还在生长的。**凡活的而且在生长者**，总有**着希望的前途**。(《华盖集续编 · 我观北大》)

他一面深信“**黑暗只能附丽于渐就灭亡的事物**”，另一面坚信“**凡活的而且在生长者**，总有**着希望的前途**”，这里闪耀了他的不自觉的唯物辩证法思想的光芒。史达林在他所著的《辩证法唯物论与历史唯物论》中说过：“**对于辩证法最重要的**，不是**目前似乎坚固的而已**

经开始衰亡的事物，而是正在产生与发展的事物，即使这事物目前看来，还是不坚固的：因为对于辩证法，只有正在产生着与发生着的事物才是不可征服的事物。”那些“目前似乎坚固的而已经开始衰亡的事物”（史太林语），或者“渐就灭亡的事物”（鲁迅语），不管它们外表上是如何富丽堂皇，不管它们对于新生的事物是如何阻碍压制，但人们在历史的光照之下，总不难看出它们决没有光明的前途，它们也决不能“因为黑暗而长存”（鲁迅语）。它们为黑暗所附丽，可是终于不能免于灭亡的命运。为什么？就因为它们成了历史发展的障碍物。当此等黑暗的宿主（Host）一经消灭，黑暗也就完结了。在另一方面，那些“正在产生着与发展着的事物”（史太林语），或者“活的而且生长”（鲁迅语）的事物，尽管在目前看来，还是不坚固的，幼稚的，然而在历史的光照之下，人们总不难看出它们“有着希望的前途”，看出它们是“不可征服的”，为什么？就因为它们是顺应着历史发展的客观要求而发生，而成长。它们“不做黑暗的附着物”，所以“一定有悠久的将来，而且一定是光明的将来”。向上的事物与向下的事物这样在历史上冲突，在现象上就表现为光明与黑暗的斗争。旧中国目前似乎还相当顽强，然而在新中国的生长过程中，它终于要失去“存在的理由”（Raison d'étre），拥抱着它的浓厚黑暗，到头总要让位于光明。旧世界与新世界的将来也必然是这样。鲁迅这样笃信着“活的正在生长”的力量，鄙弃“渐就灭亡的事物”，所以他对于正在新生的东西总是爱护不遗余力，而对于朽腐的东西则攻击不留余地。当“恶意的批评家”在“嫩苗的地上驰马”，说着“唉，幼稚得很，中国要天才”的时候，鲁迅斥责了他们的狂妄，他说：

> 恶意的批评家在嫩苗的地上驰马，那当然是十分快意的事：然而遭殃的是嫩苗——平常的嫩和天才的苗。幼稚对于老成，有如孩子对于老人，决没有什么耻辱：作品也一样，起初幼稚，不算耻辱的。因为倘不遭了戕贼，他就会生长、成熟、老成；独有老衰和腐败，倒是无药可救的事！我以为幼稚的人，或是老大的人，如有幼稚的心，就说幼稚的话。只为自

己要说而说，说出之后，至多到印出之后，自己的事就完了。对于无论打着什么旗子的批评，都可以置之不理的！（《坟·未有天才之前》）

他对于文艺的态度是如此，对于其他一切问题的看法也是这样。他的爱护“幼稚”与“嫩苗”的精神使他成为青年和孩子的良师和保姆，他的痛恨“老衰和腐败”的思想使他成为旧社会的叛徒和死敌。

虽然鲁迅深信“黑暗及其附着物”迟早要归于灭亡，但他又明了黑暗势力是决不会自动让位于光明势力的，因此暴露黑暗世界的真面目，让大众清醒认识敌人营垒的丑恶、虚伪、卑污与脆弱，不但足以增长大众反抗社会的警觉和勇气，而且可以指示大众变革现实的出路与方法。鲁迅的尖锐暴露现实的艺术，正是他的战斗的现实主义能够吸引群众震骇敌人最有力的因素。他曾自白了他从事文艺运动的旨趣：

既不是直接对于“文学革命”的热情，又为什么提笔的呢？想起来，大半倒是为了对于热情者们的同感。这些战士，我想，虽在寂寞中，想头是不错的，也来喊几声助助威罢。首先，就是为此。自然，在这中间，也不免夹杂些将旧社会的病根暴露出来，催人留心，设法加以疗治的希望。(《南腔北调集·自选集自序》)

他要“对于中国的老病刺他几针”(《集外集拾遗》)，所以对于“黑暗主力”所支配的旧社会要无情地暴露，要“使麒麟皮下露出马脚”(《华盖集续编》)，要撕下“绅士的假面具”（同上书），至少要在他们的“庄严的高尚的假面具上拨它一拨”（同上书）。

为了要“将旧社会的病根暴露出来”(《南腔北调集》)，鲁迅借助了现实主义的文艺武器，他在早年的小说中，描写了蠕动在灰色尘雾中的城狐社鼠、牛鬼蛇神。但是他不久就感觉到，用小说不易对于周遭的黑暗势力立刻予以反响或抗争，他于是采取了最迅速反映现实和最直接突击敌人的艺术手段：

“况且现在是多么迫切的时候，作者的任务，是在对于有害的事物，立刻给以反响或抗争，是感应的神经，是攻守的手足。潜心于他的鸿篇巨制，为未来的文化设想，固然是很好的，但为现在抗争，却也正是为现在和未来的战斗的作者，因为失掉了现在，也就没有了未来。”（《且介亭杂文·序言》）这是鲁迅关于杂文的性质和任务的最好说明，也是他自己要写杂文的理由的最好诠释。

在鲁迅的杂文中，充满着最使“正人君子”、“绅士淑女”头痛的芒刺。他的“论时事不留面子，砭痼癖常取类型”（《伪自由书·前记》）的突击式的短评，揭穿腐败社会内部的荒淫无耻，险诈万端，卑污可笑与庸俗无聊，挖出埋藏在现实泥淖中的各种矛盾之本质，教给大众以战斗的经验与韬略。不用说，在它们当中，闪耀着鲁迅的讽刺天才。他的讽刺，恰如世界一切最高超的讽刺一样，本质上不外是客观丑恶现实的暴露。正像他自己所说的：

> 其实，现在的所谓讽刺作品，大抵倒是写实。非写实决不能成为所谓“讽刺”，非写实的讽刺，即使能有这样的东西，也不过是造谣

和诬蔑而已。(《且介亭杂文二集》)。

鲁迅的讽刺，便是逼真的写实。因为它的笔锋直刺入一切罪恶的心窝，就显出了使恶敌寒胆，使战友快意的惊人力量。浅见者流和卑陋论客看见他的笔下写出了许多私人的名字，于是以为他在发泄私愤，欢喜谩骂，说他在“专一攻击一种对象”(叶公超作:《鲁迅》)。他们以为鲁迅是只记得私人恩怨“睚眦必报”的骂人专家。可是，每一个有良心的读者不难拿鲁迅的全部著作来证明，如果这个巨人是“专一攻击一种对象”，那么，这个对象不是别的，正是为恶虫们所拥抱的腐烂发臭的社会，是专门凌虐大众倒曳历史的荒淫无耻的一群：

枢纽是在这里，他所讽刺的社会，社会不变，这讽刺就跟着存在，而你所刺的是他个人，他的讽刺倘存在，你的讽刺就落空了。

所以要打倒这样的可恶的讽刺家，只好来改变社会。(《伪自由书·从讽刺到幽默》)

那些插科打诨的无耻论客，攻击鲁迅个人，可是，他们常常忘记了自己是寄生在充满着讽刺材料的腐烂的社会里。

讽刺和辱骂决不能混为一谈。用庄严的弓弦射出的讽刺之箭可以击中敌人的要害，而用油滑的口吻叫出的辱骂之声不能淹没敌人的狂吠。鲁迅就是反对用辱骂和恐吓来进攻敌人的。他以为“辱骂与恐吓决不是战斗”(《南腔北调集》)，对于敌人“笑骂虽无不可，但必须止于嘲笑，止于热骂，而且要‘嬉笑怒骂，皆成文章’，使敌人因此受伤或致死，而自己并无卑劣的行为，观者也不以为污秽，这才是战斗的作者的本领”(同上书)。鲁迅正是“嬉笑怒骂，皆成文章”的讽刺能手，他的引人发笑的神妙笔致离开了严肃的战斗是不能解说的。他曾经说过:“油滑是创作的大敌。”(《故事新编》序言)这种反对油腔滑调，讨厌插科打诨的谨严风格，不但始终浸润于他的文字生涯中，也一贯表现在他的人生态度中。这里顺便引一段他青年时代留学东京回忆的断片:

我第一次所经历的是在一个忘了名目的

会场上，看见一位头包白纱布，用无锡腔演讲排满的英勇的青年，不觉肃然起敬。但听下去，到得他说“我在这里骂老太婆，老太婆也一定在那里骂吴稚晖”，听讲者一阵大笑的时候，便感到没趣，觉得留学生也不外乎嬉皮笑脸。“老太婆”者，指清朝的西太后。吴稚晖在东京开会骂西太后，是眼前的事实无疑，但要说这时西太后也正在北京开会骂吴稚晖，我可不相信。演讲固然不妨夹着笑骂，但无聊的打诨，是非徒无益，而且有害的。（《且介亭杂文末编·因太炎先生而想起的二三事》）

正因为鲁迅是最真诚最严肃的现实主义者，他的“投枪的一掷”才能“使敌人受伤或致死”，他的锐利的暴露才能使鬼魅妖魔无所遁形。

从鲁迅的作品中，人们会感觉到，他对黑暗的暴露多于对光明的歌颂，特别在他的早期作品中是如此。他的对于旧社会的愤懑与憎恶，对于民族病态的无情暴露，使他的笔锋有时透露着浓烈的忧郁气氛，甚至有时泛滥着淡淡的哀愁。庸俗的论客用白粉将他化妆成为虚无主义者、悲观主义者，以至什么“内倾的个人主义者”。在他们评论起来，鲁迅至多不过是一个愤世嫉俗的狂放文士，于是一代思想革命家被描绘成为灰色动物的挡箭牌。但是，鲁迅自己数百万字的遗言就是对于这种诬蔑和曲解最有力的反驳。不但他的晚年著作充分证明他是一个积极捍卫光明的战斗者，而且他的早年著作也足以证明他是怀着光明渴望的前驱者。

鲁迅是不惮以最大的恶意来攻击旧社会的，是不惜以最无情的笔锋来暴露民族病态的。可是，有谁能证明他对于中国的前途是抱着悲观绝望的态度？有谁能证明他认为国民性是不可改变的？他不断目击着和咒诅着腐败、破烂、冷酷、凶残的旧中国在压迫和蹂躏进步力量，然而就在他痛心于黑暗势力猖狂横行的时候，他早已响亮地喊出来了：

> 幸而谁也不敢十分决定说：国民性是决不会改变的。在这“不可知”中，虽可有破例——即其情形为从来所未有——的灭亡的恐怖，

也可以有破例的复生的希望，这或者可作改革者的一点慰藉罢。

人类尚未长成，人道自然也尚未长成，但总在那里发荣滋长。我们如果问问良心，**觉得一样滋长，便什么都不必忧愁**。(《热风·不满》)

生命的路是进步的，总是沿着无限的精神三角形的斜面向上走，什么都阻止他不得。(《热风 · 生命的路》)

上面是他早年对于民族，对于人类的乐观展望。到了晚年，他的积极的战斗的人生观更加和革命的历史观明确结合起来，一扫压迫群众的悲观气氛与失败情绪：

历史决不倒退，文坛是无须悲观的。悲观的由来，是在置身事外，不辨是非，而偏要关心于文坛，或者竟是自己坐在没落的营盘里。(《准风月谈 · 中国文坛的悲观》)

无论如何，将来总归是我们的。(一九三二年给韦素园信)

我确切的相信无阶级社会一定要出现，不但完全扫除了怀疑，而且增加许多勇气了。（《且介亭杂文·答国际文学社问》）

他的永远向前看的世界观与人生观，坚定了他对于民族与人类的光明前途的确信，对于新社会必然到来的确信。他始终在用着充满自信的目光搜索前进，即使在他的泛溢着忧郁与哀愁的作品中，也不断表露着对于“新世纪的曙光”（《热风》）的向往。（例如《野草》中的《希望》是他对于青年的消沉与颓废的感叹诗，这首散文诗浮现着悲凉忧郁的痕影，然而也闪烁着热望新生的豪情。同书中的《过客》、《死火》、《淡淡的血痕中》等篇也是如此。）在这样灼热的爱世精神之下，哪里容得了虚无主义或悲观主义，更哪里容得了什么“内倾的个人主义”？

历史证明只有那些“置身事外，不辨是非……或者坐在没落的营盘里”的灰色一群，才看不到历史的光明前程，才会扮演没落的悲剧中的丑角。此种不辨是非与自甘没落的颓风固然不能阻住历史的前进，然而它吹扫正在彷徨中的群众，确能散布若干毒害，模糊人们对于革命真理的认识，摇动大众打击革命敌人的雄心。鲁迅的批判现实主义的基本任务之一，就是要向大众指点现实世界的是是非非，就是要坚决打破“彼亦一是非，此亦一是非”的混沌主义。当一些“文坛英雄”在那里混淆是非，骂倒一切的时候，鲁迅发出了坚强的抗议：

> 增加混乱的，倒是有些悲观论者，不施考察，不加批评，但用“彼亦一是非，此亦一是非”的论调，将一切作者，诋为“一丘之貉”。这样子，扰乱是永远不会收场的。然而世间却并不都是这样，一定会有明明白白的是非之别。（《准风月谈·中国文坛的悲观》）

有了分明的是非，才会有热烈的爱憎，“遇见所是和所爱的，就拥抱”，“遇见所非和所憎的，就反拨”。（《且介亭杂文二集·再论“文人相轻”》）这正是一切头脑清醒者处世接物与知人论事的正确态度。为正义而战的猛士，和自命为公正的和事老是截然不同的，他“只是唱着所是，颂着所爱，而不管所非和所憎；他得像热烈地主张着所是一样，热烈地攻击着所非，像热烈地拥抱着所爱一样，更热烈地拥抱着所憎——恰如赫尔库来斯（Hercules）的紧抱了巨人安太乌斯（Antaeus）一样，因为要折断他的筋骨”（同上文）。至于超然于是非之外的“和事老”与“公正君子”，分明是在淆乱是非，是其非，而非其是。因为人“不是上帝，哪里能够超然世外，真下公正的批评。人自以为‘公平’的时候，就已经有些醉意了”（《华盖集·并非闲话》）。是的，除了病狂而外，唯有醉汉是超然于是非之外的，然而可惜他的理性已做了酒精的俘虏了。

像黑白一般分明的是非之辨，使鲁迅成为坚持真理的刚强战斗者，像水火一般对立的爱憎之分，使鲁迅成为献身正义的英勇先驱者。他一经辨明了是非，分别了憎爱，就咬紧牙根，为他所是所爱的战斗不息，向他所非所憎的反抗到底。离开了战斗，是不足以说明鲁迅的现实主义的。

从青年时代起，鲁迅就歌颂破坏，号召战斗。他赞美“立意在反抗，指归在动作”的伟大诗人，他提倡“主张破坏，无稍假借”的革新精神。他觅求“作至诚之声，致吾人于善美刚健”，“作温煦之音，援吾人出于荒寒”的“精神界之战士”，然而“先觉之声，乃又不来破中国之萧条”（以上引文，见《坟·摩罗诗力说》）。他于是在寂寞萧条之中“沉思”复“沉思”。待到他重新以“精神界之战士”的雄姿跃上战场时，世界革命的暖流已开始融解中国中古主义的厚重冰层了。从那以后，他的战斗要求透过文化革命运动，“便一发而不可收”（《呐喊》序）。

中国民众反抗专制的炸药，在腐败的满清王朝的恐怖高压之下，也曾爆炸几次。最末的一次是辛亥革命。然而顽强的封建守旧势力与市民阶级的妥协倾向胶结起来，真也像黄梅天的浓重潮气，使埋藏在革命民众间的炸药暂时潮湿起来了。“屠杀现在的僵尸”在“热心复古”、“崇奉国粹”的浊潮中，拼命禁锢民众的耳目，淤塞革新的洪流。“中国固有的精神文明其实并未为共和二字所埋没，只有满人已经退席，和先前稍不同。”（《坟·灯下漫笔》）因此唤醒人民的战斗精神，轰毁腐败的吃人制度，就成为“五四”运动的中心任务。鲁迅的战斗现实主义，正在此时，重新透过文学，烙印大众的心。他举起了“投枪”，猛掷那些隐藏在共和招牌背后的僵尸，他号召大众冲破一切阻住革新道路的障碍物笔直前进：

> 自然赋与人们的不调和还很多，人们自己萎缩堕落退步的也还很多，然而生命决不因此回头。无论什么黑暗来防范思潮，什么悲惨来袭击社会，什么罪恶来亵渎人道，人类的渴仰完全的潜力，总是踏了这些铁蒺藜向前进。（《热风·生命的路》）

甘为奴隶的士大夫们斥责一切反抗是“空费气力”的妄动，他们的哲学是“不为戎首”，“不为祸始”，甚至于“不为福先”（《华盖集·这个与那个》），是要大家“虽死也如山羊，使天下太平，彼此省力”。（《华盖集续编·一点比喻》）。鲁迅就要打破那用山羊蹄迹点缀的“天下太平”。任何顽强的反抗精神，任何英勇的战士气概，在他都视若瑰宝：即使不能有胜利的闯将，也应该有

“失败的英雄”；即使不能有速决的胜仗，也应该有**“韧性的反抗”**；即使不能有旌旗蔽空的雄军，也应该有**“单身鏖战的武人”**，即使不能多有敢杀身成仁的志士，也应该不乏**“敢抚哭叛徒的吊客”**（以上加**有黑点**的引句，见《华盖集·这个与那个》）。因为绝望的抗争总胜于卑怯的苟活，战败的悲歌总胜于待死的哀哭。

在“五四”时代，转战于寂寞中的鲁迅还不能从社会底层中找到他的战友，唯有在青年中高唱他的战歌。他鼓舞青年“跨过了灭亡的人们向前进”（《热风·生命的路》），勉励青年“无须反顾，因为前面还有道路在”（《坟·灯下漫笔》）。当欧化的士大夫们在那里高呼“多研究问题，少谈主义”的时候，鲁迅颂赞了那为主义牺牲的殉道者：

> 他们因为所信的主义，牺牲了别的一切，用骨肉碰钝了锋刃，用血液浇灭了烟焰。在刀光火色衰微中，看出一种薄明的天色，便是新世纪的曙光。（《热风·圣武》）

然而“新世纪的曙光”只能用集体的革命战斗才能争得的。当鲁迅从社会底层寻觅到了浩浩荡荡的战斗队伍，也就是寻觅到了“新的战友”(《南腔北调集·自选集自序》)之后，他从那伟大的“黑土”里看见了“忍受，呻吟，挣扎，反抗，战斗，变革，建设，成功”(《南腔北调集·祝中俄文字之交》)，也看见了中国新社会的明朗远景。他更清醒地认明了唯有依靠大众的革命战斗，才能迎取光辉的未来。他毫无怜悯地猛攻一切虚伪的“公正”、“中立”与“超然”，剥除反对被压迫者战斗的和平主义的伪装。他坚定地指出，任何事情不能“摆脱阶级的利害”，也不能“离开战斗而独立”。一切有正义感的“马前卒”，“不但要以热烈的憎，向“异己”者进攻，还得以热烈的憎，向“死的说教者”抗战。因为“在现在这可怜的时代，能杀才能生，能憎才能爱”(《且介亭杂文·七论“文人相轻”》)。

然而，单知道战斗还是不够的，因为“旧社会的根底是非常坚固的，新运动非有更大的力，不能动摇它什么”(《二心集·对于左翼作家联盟的意见》)。这“更大的力”就是“坚决、持久不断而且注重实力的战斗”(同上），就是永不妥协永不宽恕敌人的韧性战斗。鲁迅从血的教训中牢记着反革命势力是从来不妥协的。辛亥革命换来了一个“咸与维新”的局面，然而只因为“先烈的好心，对于鬼蜮的慈悲”，使反革命的恶虫到处“繁殖起来”。结局是怎样呢？“中国又一天一天沉入黑暗里，一直到现在，遗老不必说，连遗少也还是那么多”，“此后的明白青年，**为反抗黑暗计，也就要花费更多更多的气力和生命**”（《坟·论费厄泼赖应该缓行》）。鲁迅的眼光是够锐利的，他在大革命前夜，不但已经数说了革命对反革命让步所蒙受的损失，而且预见了革命党人的机会主义将引到怎样惨酷的失败。他明白道破了政治斗争和社会革命的普遍真理，指点了革命群众免避重大损失的正确道路。他主张用“打落水狗”的彻底战斗精神根本消灭进步势力的敌人，鄙弃宽恕和妥协。他深知对敌人宽恕，就是对战友犯罪，因此以为宽恕是“怯汉所发明”的“美德”（《坟·杂忆》）。在濒死时，还斩钉截铁地申言对怨敌“一个也不宽恕”（《且介亭杂文末编·死》）。他对于旧社会恶势力的洞若观火的考察坚定了他反对纵恶的决心：

> ……“疾恶太严”，“操之过急”，汉的清流和明的东林，却正以这一点倾败，论者也常常这样责备他们。殊不知那一面，何尝不“疾善如仇”呢？人们却不说一句话。假使此后光明和黑暗还不能作彻底的战斗，老实人误将纵恶当做宽容，一味姑息下去，则现在似的混沌状态，是可以无穷无尽的。(《论费厄泼赖应该缓行》)

正因为“善”的方面，“老实人”太多，一味“纵恶”，“宽恕”，“姑息”，“没有坚决的广大的目的，要求很小，容易满足”，结果老是“新的敌不过旧的”(《二心集·对于左翼作家联盟的意见》)，老是革新势力吃亏上当。难道过去血迹斑斑的史页还不够证明鲁迅的警告是值得一切战士牢记的吗？从太平天国一直到大革命，每一回革命队伍的惨败，除了客观的原因外，在主观上总不能否认，革命对反革命的宽容，韧的战斗精神的缺乏，造成了连续不断的血债。

鲁迅的现实主义是富于战斗性的，同时他的战斗思想也是富于现实性的。所谓现实的战斗思想，就是清醒地认识战斗的客观条件，正确地估量革命的主观实力，根据此种认识与估量，跟黑暗势力坚忍地稳扎稳打地长期作战，这里当然容不了各式各样的浪漫蒂克的乌托邦空想，也容不了一切“右倾”和“左倾”的机会主义。真正的革命战士时刻都在为奔赴远大的革命目的而奋战，他们永不离开理想的火花。然而得时刻警戒各种美妙空想的诱惑，得像希腊神话中的英雄安泰乌士（Antaeus）一样，“永远站在地上，靠在生育和抚养他的母亲身上，以便取得源源不绝的新力量”（史太林），他们得经常“与人民维持联系”（史太林），脚踏实地的向前看，向前进。他们必须不断地接触实际的社会战斗。一切乌托邦的门不能为他们而开，反之，一切现实主义的路须由他们来辟。倘或不然，即使口头上高歌得如何慷慨激昂，文笔下描画得如何光辉灿烂，也只能吹起许多带有虹色的肥皂泡，“一碰到实际，便即刻要撞碎了”（《二心集》）。

小资产阶级的革命者在革命进军时和革命胜利后，往往容易热狂兴奋，但也容易动摇幻灭，颓废叛变，就因为在他们的头脑里，预先按照自己的美丽空想打好了革命的乌托邦图样。当实际的情形一和这张华美的图样冲突起来，他们便唉声叹气，昏天黑地，跌倒在革命的轮盘下面。这就是鲁迅所说的：“倘不明白革命的实际情形，也容易变成右翼。”（《二心集》）为什么“左翼”容易变成“右翼”呢？那是因为不明白：

> 革命是痛苦，其中也必然混有污秽的血，决不是如诗人所想象的那般有趣，这般完美；革命尤其是现实的事，需要各种卑贱的麻烦的工作，决不如诗人所想象的那般浪漫；革命当然有破坏，然而更需要建设，破坏是痛快的，但建设却是麻烦的事。所以对于革命抱着浪漫谛克的幻想的人，一和革命接近，一到革命进行，便容易失望。（《对于左翼作家联盟的意见》）

革命是清除积秽的麻烦事业，要把几千年堆积在中国地面上的垃圾肃清，开辟美丽的田园和康庄的大道，那不但需要集合无数人力，而且需要切实工作者在污秽腐烂的尘垢粪土之上，在杂乱刺足的瓦砾荆棘之中，任劳任怨地工作。他们自然不是苦行修炼的高僧，他们是血肉做成的战士，当然要求快乐和自由；然而他们并不预先虚悬一个快乐和自由的极境，而是以大众的快乐自由为自己的快乐自由，是以大众的荣辱休戚为自己的荣辱休戚，是把自己的情感、理想和工作融化在大众的生活、思想和战斗之中。驰驱在大地上的清醒战士决不至于浪费他的气力，为梦里的乐园而舞蹈，又为乐园的失灭而哭泣。他们的乐园是用赤血和苦汗从丛莽中开拓出来的，是以跟泥土搏斗的艰苦工作耕垦出来的。如果在长期的大规模的垦荒掘土的工作中，碰到了恶风淫雨，飞沙走石，毒蛇猛兽，那决不是什么意外的遭遇；倘若没有这些遭遇，那才是天国的奇迹，人间的怪事。正因为革命的人间不是神祇的天国，所以革命的兵队也决不是神前的天使，因此：

> 倘说，凡大队的革命军，必须一切战士的意识，都十分正确，分明，这才是真的革命军，

否则不值一哂。这言论，初看固然是很正当，彻底似的，然而这是不可能的难题，是空洞的高谈，是毒害革命的甜药。(《二心集·非革命的急进革命论者》)

参加革命队伍的人不是来自一个阶级，受过同一教养，当然不免有着各样的意识和气质在革命战斗中混流着，冲突着。也正因如此，所以在“行进时，时时有人退伍，也有人落荒，有人颓唐，有人叛变，然而只要无碍于进行，则愈到后来，这队伍也就愈加成为纯粹精锐的队伍了”(《非革命的急进革命论者》)。这里不妨用一个比喻来说明。经过城市边沿流动的河水，总不免夹杂着许多市廛的尘垢污秽，然而只要河身不被堙塞，这些杂乱的渣滓决无碍于河水的奔流；愈向前奔流，也就愈加澄清，愈加活泼。革命队伍的进军何尝不是如此。倘使不用神国天使的尺度来测量革命战士的长短，就应该从大处着眼，认识革命乃是长期的对敌作战，同时也是革命队伍不断的自我斗争。因为“改革的事不是一下子就变成极乐世界”(《华盖集》),“革命无止境，倘使世上真有什么‘止于至善’，这人间世便同时变成了凝固的东西了”(《而已集》)。革命队伍诚然在进军时会夹杂着许多无用的尘污渣滓，但是清醒的战士总不能因为腹有蛔虫而长期绝食，他们必须是始终沉酣于战斗的大欢喜中，“一面克服着，一面进军着，不会做待到克服完成，然后行进那样的傻事的”(《南腔北调集》)。正因为如此，那些“非革命的急进论者”要求“现在的战士都是意识正确，而且坚于钢铁之战士，不但是乌托邦的空想，也是出于情理之外的苛求”(《二心集·非革命的革命急进论者》)。

鲁迅不但用清醒的现实主义来争取革命，他对于一切事物与问题的看法，也是从现实的历史发展过程着眼，因此在他的著作中到处闪动着辩证法的火花。例如，对于语文，他就是处处从“历史的现实主义”(借用王任叔的用语)出发。他认为“人类将来总当有一种共同语言，所以赞成 Esperanto”，但他又说：

> 至于将来通用的是否 Esperanto，却无从断定。大约或者便从 Esperanto 改良，更加圆

> 满；或者别有一种更好的出现，都未可知。但现在既是只有这Esperanto，便只能先学这Esperanto，现在不过草创时代，正如未有汽船，便只好先坐独木小舟；倘**使因为预料将来当有汽船，便不造独木小舟，或不坐独木小舟，**那**便连汽船也不会发明，**人类**也不能渡水了。**（《新青年》第五卷第五号通信:《渡河与引路》）

对于中国文字他也是如此看法：

> 古文已经死掉了，白**话文还是改革道上的桥梁，**因为人类还在进化。便是文章，也**未必独有万古不磨的典则。**（《华盖集续编·古书与白话》）

他并不把世界语和白话文看作“万古不磨”的极境，他以为它们都不过是语文发展过程中必经的阶段，正像渡河的“独木小舟”和“桥梁”。自然，他发表这些意见的时候，还是从进化论的观点出发。然而忠实于客观真理的进化论，和唯物辩证法不是有着最亲近的血缘吗？只有庸俗的进化论才无视事物的内在矛盾以及由此矛盾引起的运动与发展。鲁迅早期的进化论思想正孕育着革命的辩证法的个别因素，这就是他能够跨过启蒙主义和进化论而走向社会主义和阶级论的内在动因。

在看取一切问题的时候，虽然永远注视远大的目的，但不虚悬一步达到的极境，而只是紧紧抓住问题的实质，留心实现目的的步骤，这就是鲁迅的一贯的现实主义作风。因此，他对于人物和事情决不按照一个固定不变的图样一味苛求，同时也不放松对于远大理想的追求。他憎恶没有骨气出卖灵魂的政治“奸商”和“革命小贩”，然而不奢望一切战士都立刻变成完善无瑕的圣贤；他提倡无产阶级的革命文学，但并不苛求每一个作家都硬写革命文学；他主张提高文化的水准，但同时注重通俗文化的普及；他渴望有完美的翻译，但同时认为应当用“吃烂苹果”的精神接受翻译；……（参看王任叔著:《战斗与学习》)。所有这些，都足以证明他是和公式主义与乌托邦主义反对的，在他的思想中流注着实事求是的现实主义血液。

因为对一切问题和事情抱定认真不苟，实事求是的精神，所以反对一切“只图说得畅快”的“非革命的革命急进论”，同时也反对不务实际专重标榜的空头主义，这就炼成了他的严肃工作的特性。他不但善于打击敌人，而且勇于解剖自己。他曾经说过：“我的确时时解剖别人，然而更多的是更无情面地解剖我自己。”（《写在“坟”后面》）他的虚心崇实的精神，使他甘为真理面前的“孺子牛”和革命战线的“马前卒”。因此在和创造社论战的时期，他情愿“等待有一个操马克思主义批评的枪法的人来狙击”他。（《二心集·对于左翼作家联盟的意见》）在论到介绍科学的文艺理论的时候，他很直白地说：“打着我所不佩服的批评家的伤处了的时候，我就一笑，打着我的伤处的时候，我就忍痛。”（《二心集·“硬译”与“文学的阶级性”》）这种用普罗米修士的火来“煮自己的肉”（同上）的自我牺牲精神，正是从他的热爱真理，严肃工作的卓越特操蒸发出来的。他从来不以导师自命，然而在中国现代文化史上，有谁比鲁迅更有资格在默默地充任青年的博大坚忍的导师呢？有谁像他那样热诚地给广大青年施行严肃工作的洗礼呢？当一些自命为青年导师的名流学者在那里向青年招摇撞骗的时候，他劝导青年用“自力更生”的精神做事做人：

> 青年又何须找那挂着金字招牌的导师呢？不如寻朋友，联合起来，同向着似乎可以生存的方向走。你们所多的是生力，遇见深林，可以辟成平地的；遇见旷野，可以栽种树木的；遇见沙漠，可以开掘井泉的。问什么荆棘塞涂的老路，寻什么乌烟瘴气的鸟导师！（《热风》）

当自暴自弃者流在那里对青年散布冷气，阻绝青年进路的时候，他嘘出了温暖青年的煦气：

> 愿中国青年都摆脱冷气，只是向上走，不必听自暴自弃者流的话。能做事的做事，能发声的发声。有一分热，发一分光，就令萤火一般，也可以在黑暗里发一点光，不必等候炬火。（《热风·随感录四十一》）

集合无数黑暗里的火花，不就赛过难得的炬火么？“石在，火种是不灭的”（《且介亭杂文》），鲁迅是第一个抱着此种自信站在青年当中击石生火的巨人。

恩格斯在论及现实主义和社会主义的文学时，曾经极深刻地说过如下的话：

> 只要真切地描写现实的相互关系，毁坏了罩在那上面的作伪的幻影，使资产阶级的乐观主义发生动摇，使人们对于现在秩序的永远支配权发生怀疑，那么，社会主义的倾向的文学就充分尽了它的使命了。（Engels 致 Minna Kautsky 的信）

鲁迅就是最真切表现现实暴露现实的天才作家，他用火炬一般的笔驱除了被伪善者和骗子们罩在现实上面的作伪的幻影，动摇了封建守旧势力和顽固资产阶级的欣然自得的太平天下，使大众对于现在的社会秩序由怀疑而憎恨，而反抗。但他不止是一个现实主义的和带有社会主义倾向的文艺作家，他是无产阶级革命时代的战斗现实主义者和革命思想家。因此，他的著作不限于表现和暴露现实，他高举了指引大众变革现实的火炬。他批判和反抗笼罩中国民族的腐败传统，指示大众注视那严重威胁自己命运的民族病态和社会黑暗，从辨明是非和分别憎爱之中坚决保卫光明战线，反对黑暗主力；并且永远向前看，以乐观的自信沉酣于战斗的大欢喜中。他警告和感召广大的革命群众，要他们养成坚忍奋斗的韧性作战精神，对敌人决不宽恕，决不姑息；但同时要明战术，重实力，他反对一切梦游病式的空想主义，要求战斗大众正确估计客观情势和主观力量，并且从大处着眼来整饬革命队伍，争取战斗胜利。他反对一切机械看取事物笼统解决问题的公式主义，要求愿意前进的人们清醒地剖析真实，具体地处理事情。他反对一切不尚实际的空谈和自暴自弃的冷气，要求大众积极地实践，严肃地工作。这些就是织结在他的思想中的现实主义经纬，就是他教育中国人民的现实主义课程的主要纲目。自然不用说，他的现实主义是始终烙印着中国民族解放运动的显著特征的。

第二章　启蒙主义者和民主主义者的鲁迅

第一节　鲁迅在中国民主运动史上的地位

一个彻底的思想革命家，必然是坚决的革命思想家；同样，一个清醒的现实主义者，也必然是热烈的革命战斗者。鲁迅是现代中国号召思想革命和坚持战斗现实主义最英明最强毅的先驱人物，他的思想不仅是中国人民要求进步渴望光明的意志的最集中的表现，同时也是中国民主革命运动往前发展和走向深入的最明确的反映。诚然，他的作品很少包含“民主”、“民族解放”、“反封建”、“反帝”一类的字眼，他的一生是思想活动多于革命实践，但人们没有理由否认他的思想和工作是彻头彻尾浸透着革命的民主主义和民族主义，而这种革命的民主主义和民族主义，通过普罗列塔利亚的革命巨潮，终于和科学的社会主义与国际主义交织在他的一身。在这一章，我们要探讨作为革命的启蒙主义者和民主主义者的鲁迅留给我们的丰富思想遗产，随后，我们还要把这个巨人当做民族主义者和国际主义者来研究。

中国的资产阶级民主革命开始于清末，更新于“五四”，而壮大于大革命以后；鲁迅身历了多次的革命巨变，始终代表着中国被压迫民众，和阻碍人民进步的陈旧社会搏战。他是旧中国的勇敢反对者和新中国的坚决催生者；是旧民族生活的锐利批判者和新民族风气的光辉创造者。从民主革命的要求来看，在现代中国，鲁迅之被历史选择为伟大的“精神界战士”（《坟·摩罗诗力说》），是绝非偶然的。这个巨人不但代表永远前进的中国亿万人民扫荡野蛮的中世纪的“旧成法”，痛击奴役中华民族的异族压迫势力，且指引广大民众怎样去挣脱那桎梏他们的精神与生活的全部枷锁，怎样用最小的牺牲去博取伟大的战斗胜利。

在现代中国民主革命运动中，产生了若干卓拔的思想战士和革命战士。依照“盖棺论定”的说法，在已故的历史人物中，有两个可以称为中国民主主义史上最不朽的伟人，一个是三民主义的创始者和执行者孙中山先生，另一个便是思想革命家兼革命思想家鲁迅先生。诚然，这两个巨人有着各自不同的活动领域，孙中山的战斗事业是侧重于政治实践，而鲁迅的战斗事业是侧重于思想运动。就思想发展来说，孙中山先生基本上是一个民族民主革命者，而鲁迅在晚年更接受了普罗列塔利亚的社会主义。但是，这些并不妨碍在他们两人之间，有着相似之点。首先，他们同是现代中国最有远见和魄力的民族解放运动者和民主主义者；他们毕生为争取新中国的建设而奋斗，为解放被压迫民众而苦战，在中国的政治启蒙上和思想启蒙上都作了最广大的贡献。第二，他们都对劳苦大众表示最深挚的同情，中国亿万农工的解放利益，特别为他们所尊重，愈到晚年，他们愈是推重劳苦大众在民族解放运动中的力量。第三，他们的思想都不断反映着时代的进展而向前进步，这就是说，他们的思想不是一次完成的，因而也就不停滞于历史的某一点上。中国革命运动越是向前扩展，越是深入群众，他们的战斗思想也越是充实而锋锐。这两个历史巨人显示其彼此相似之点，决不是偶然的。中国民族解放运动的洪流要求从各方面（政治、文化、思想等方面）产生最杰出的代表人物。历史从政治战斗中选择了孙中山作为中国前期民族解放运动的领袖，从文化战线上选择了鲁迅作为中国思想解放运动的领袖。他们出生在同一个苦难的中国，接触着相同的被压迫群众，面对着差不多同时代的中国革命要求，亲近着同一方面的世界革命潮流，而且在晚年都和无产阶级的战斗队伍保持了密切的联系。中国革命的民主性质规定了中国民族解放运动的根本任务，谁能最坚决、最正确反映和执行这种任务，谁就可以成为中国最伟大的革命代表人物。孙中山和鲁迅恰像出现在同一星座运行在同一轨道的一双巨星，他们的年龄不同（鲁迅比孙中山小十五岁）和活动范围不同，并不妨碍他们在现代中国以各自的伟大战绩互相辉映。

孙中山对于鲁迅的影响究竟有多么大，我们很难给予精确的估计，但从鲁迅推崇孙中山的言论看来，不难得知鲁迅是热烈赞同孙中山的民主革命主张的。在论及孙中山的时候，鲁迅对于这个伟大战士给予了最公允的评价：

凡是自承为民国的国民，谁有不记得创造民国的战士，而且是第一人的？但我们大多数的国民实在特别沉静，真是喜怒哀乐不形于色，而况吐露他们的热力和热情。因此就更应该纪念了；因此也更可见那时革命有怎样的艰难，更足以增加这纪念的意义。

记得去年逝世后不很久，甚至于就有几个论客说些风凉话。是憎恶中华民国呢，是所谓"责备贤者"呢，是卖弄自己的聪明呢，我不得而知。但无论如何，中山先生的一生历史具在，站出世间来就是革命，失败了还是革命；中华民国成立之后，也没有满足过，没有安逸过，仍然继续着进行近于完全的革命的工作。直到临终之际，他说道：革命尚未成功，同志仍须努力。（《集外集拾遗·中山先生逝世一周年》）

孙中山的“站出世间来就是革命，失败了还是革命”的战斗精神，正是鲁迅历来歌颂的韧性反抗精神。唯其因为他礼赞不朽的战士，也就诅咒那毁谤战士的苍蝇式的奴才：

> 战士死了的时候，苍蝇们所首先发见的是他的缺点和伤痕，嘬着，营营地叫着，以为得意，以为比死了的战士更英雄。但是战士已经战死了，不再来挥去它们。于是乎苍蝇们即更其营营地叫，自以为倒是不朽的声音，因为它们的完全，远在战士之上。
>
> 的确的，谁也没有发见过苍蝇们的缺点和创伤。
>
> 然而，有缺点的战士终竟是战士，完美的苍蝇也终竟不过是苍蝇。
>
> 去罢，苍蝇们！虽然生着翅子，还能营营，总不会超过战士的。你们这些虫豸们！（《战士和苍蝇》）

后来，鲁迅自白了他的这一篇《战士与苍蝇》的题旨：

> 所谓战士者，是指中山先生和民国元年前后殉国而反受奴才们讥笑糟蹋的先烈；苍蝇则当然是指奴才们。(《集外集拾遗·这是这么一个意思》)

奴才对于战士总是讥笑糟蹋，而战士对于战士总是爱惜保卫。没有奴才，不能反衬战士的光辉和伟大，没有后起的战士，不能显扬先进的战士的壮烈和可爱。鲁迅对于一切奴才毫不吝啬他的攻击火力，而对于一切受奴才诬谤的战士，则毫不吝惜他的辩护能力。他看穿了，一个伟大的战士在他死后，不仅受着某一类奴才们的讥笑，而且受着另一类奴才们的糟蹋。这些战士的遭殃，正如他所说："不在生前的被攻击和被冷落，一瞑之后，言行而亡，于是无聊之徒，谬托知己，是非蜂起，既以自卫，又以卖钱，连死尸也成了他们钓名获利之具。这倒是值得悲哀的。"（《且介亭杂文·忆韦素园君》）实际上，这种情形古今中外如出一辙。列宁就曾说过：

在大革命家活着的时候，压迫阶级经常的缉捕他们；对他们的学说极端的憎恶，极端的仇视，和疯狂似的造谣与中伤。在他们死了之后，便企图把他们作为无害的神像，所谓把他们加入圣人之列，略略表彰他们的名字，以“安慰”和愚弄被压迫阶级，同时，却阉割革命学说的内容，磨灭这个学说的革命锋锐，使它庸俗化（《国家与革命》中译本）。

马克思死后在欧美遭到奴才们的如此待遇，孙中山死后，在中国也遭到同样的命运。鲁迅愤慨地写道：

预言者，即先觉，每为故国所不容，也每受同时人的迫害，大人物也时常这样。他要得人们的恭维赞叹时，必须死掉，或者沉默，或者不在面前。

总而言之，第一要难于质证。

如果孔丘、释迦、耶稣基督还活着，那些教徒难免要恐慌。对于他们的行为，真不知道教主先生要怎样慨叹。

所以如果活着，只得迫害他。

待到伟大的人物成为化石，人们都称他为伟人时，他已经成为傀儡了。

有一流人之所谓伟大与渺小是指他可给自己利用的效果的大小而言。(《华盖集续编·无花的蔷薇》)

这里只提到了孔丘、释迦、耶稣基督的名字，但这些名字实际不过是孙中山和其他革命战士们的代名词。据说，鲁迅在一处演讲，就曾慨叹孙中山死后被奴才们当做“伟人的化石”利用（这是以前听友人王任叔兄说的）。现在，鲁迅自己也做了“伟人的化石”了，那些嗡嗡营营的苍蝇，那些“谬托知己”的奴才，不正是以先前对付孙中山的老手法——更卑劣的手法——来对付鲁迅吗！

然而“完美的苍蝇”决不能用他们的嗡嗡营营来掩

住战士的不灭呼声。鲁迅幼时的“法名”——长庚正象征了鲁迅在中国民主革命巨潮中的强大光辉。他真像十九世纪到二十世纪的中国的长庚星（这比喻是自吴沫一篇文字中借用的），照耀在荒冷的黑暗的原野，指引广大的被压迫民众奔赴反封建、反帝国主义的民主主义战线。

鲁迅出生在腐败的封建社会中，他身受封建势力的欺凌与迫害，目击统治阶级的残酷与怯懦，使他自小对旧社会生出憎恶和仇视的心情，这种心情和他的民族解放要求结合起来，就使他一开始便以主要的锋芒对封建制度宣战。

第二节　鲁迅的启蒙主义思想

鲁迅在反封建战斗中所表现出来的一个显著特点，就是他的思想是侧重对于封建精神体系的攻击。他从青年时代起，就强调国民性的改造问题，重视民族病态的揭发与疗救。诚然，他对于国民性与民族病的了解，最初是比较抽象的，当时他还不能从阶级关系的分析来发掘那造成中国社会衰朽的根本原因，但有一点是可以确定无疑的，就是他对于旧社会以及支配这个社会的剥削阶级与压迫机构，一开始就表示强烈的反对，他觉到“旧社会的腐败”（《且介亭杂文》），“憎恶熟识的本阶级，毫不可惜它的溃灭”（《二心集》序），因此他要对旧社会作“反戈一击”（《坟》）。他痛恨那些欺凌弱者的压迫分子与剥削集团，寄同情于被损害和被侮辱的卑微弱小人群，这种憎恶吃人制度、同情被害群众的风格正像一根红线贯串在他的创作与论著中。《明天》中的单四嫂子，《祝福》中的祥林嫂，《药》中的瑜儿（夏四奶奶的儿子），《狂人日记》中的迫害狂，《伤逝》中的涓生和子君，《长明灯》中的狂人，《离婚》中的爱姑，……这些都是他描写的被迫害者的代表人物；他刻画他们被旧社会践踏凌虐的惨剧，教人悲愤，教人酸鼻。就是对于阿Q、孔乙己、陈士成（《白光》中的主人翁）这一类可笑而又可怜的典型人物，也并不遮掩他的讽刺以外的同情。反之，他对于赵太爷、钱太爷、假洋鬼子、夏三爷、七大人、慰老爷……这一类的大人老爷，却是表示猛烈的憎恶，因为他们排着“大小无数的人肉的宴筵”，以“愚妄的狂呼，将悲惨的弱者的呼号遮掩”（《坟·灯下漫笔》)。这一类的恶虫从鲁迅出生一直到他病死，都不断蠕动在他的眼前，他最熟悉他们的骨相，也最熟悉那被他们蹂躏摧压的卑微人物的灵魂。他用饱含敌意的笔刻画吃人的恶虫，剥露那为他们寄生的腐败社会的真面目，同时为被凌虐、被欺侮的不幸人群发出沉痛的不平。这种风格后来更明显地表现在他的杂文中。正因为他深切地了解隐藏在旧社会胸怀的矛盾、猥劣、腐败，熟悉吃人与被吃的残酷现实，而又不甘沉默，于是毫不犹豫地对旧社会猛掷投枪。这首先就不能不击中封建毒龙的要害。他的反封建的理性主义和民主主义，不是出发于抽象的理论与思索，而是渊源于现实的深刻考验，特别渊源于他对于人吃人的旧社会的精密观察。这就说明了为什么他的全部思想发展过程和中国民主革命运动的发展过程合拍，更说明了为什么他的民主主义倾向终于和革命的社会主义汇流为一。

从鲁迅的早期作品中，不难看到，他的反封建的火力是集中于攻击封建的意识形态，在辛亥前夜是如此，在“五四”时代更是如此。就是到了晚年，虽然他所攻击的对象比先前广大得多，但仍没有放松他对于封建守旧意识体系的攻击。在一向缺乏民主主义与理性主义传统的中国，攻击根深蒂固的封建守旧意识，打破地主绅士阶级桎梏人民的精神统治，正是进步知识分子最必要的而又最自然的战斗任务。帝国主义的横暴闯入，在中国诚然造成了“亘古未有之大变局”（李鸿章语），然而它并没有冲去淤积在中国民族生活河道中的封建主义污泥，反之，它用这种淤泥筑起了防止中国人民革命与进步的反动堤防。封建统治者不仅利用政治和武力削夺人民的自由权利，压榨人民的血肉，而且利用最野蛮、最猥陋的思想统治，来麻痹人民的活动能力，奴役亿万不识不知的愚众，这样来维持他们在残山剩水之间的荒淫贪馋的兽性生活。他们是极端残酷横暴的，同时又是极端卑怯荏弱的。吃人的伦常礼教，守旧的儒教孔道，陈腐的“祖传”、“老例”，这些都被他们利用来作为桎梏人民的精神镣铐，而且都为帝国主义所支持，所援引。广大人民沉陷在驯顺、愚昧、自欺、懦弱、猥鄙的麻痹状态中。不能打脱这一类的精神镣铐，人民就不能自觉地起来挥动他们攻击旧中国的臂膊，就不能在旧中国的废墟上创建富有生气的新中国。鲁迅正是最坚决号召大众反抗封建主义精神统治的伟大斗士。他在清末，就已注意到唤起人民的自觉（所谓“自觉之声发，每响于人心，清晰昭明，不同凡响”——《摩罗诗力说》），致力于攻击愚民统治与奴才传统，反对“安弱守雌，笃于旧习”（《坟·文化偏至论》）的国民精神状态。但这种呼声随即沉没于当时的守旧主义的死水中。经过了一个相当时期的孤独的“沉思”，他终于在“五四”时代找到了反封建的文化队伍。从那时候起，他就没有停止过反吃人礼教和守旧传统的斗争。他猛烈进攻“屠杀现在”的僵尸，冲破“传统思想的长城”，剥露所谓国粹主义的本相，主张用科学和合理思想的血液注射到中国民族机体里，彻底排除那潜伏在中国文化血脉内的毒菌。他沉痛地慨叹道：

> 老大的国民尽钻在僵硬的传统里，不肯变革，衰朽到毫无精力了，还要自相残杀。于是外面的生力军很容易地进来了。真是“匪今斯今，振古如兹”。（《华盖集·忽然想到》）

要推翻这“僵硬的传统”，须要彻底的变革，这就是“大呼猛进，将碍脚的旧轨道不论整条或碎片，一扫而空”(《坟·再谓雷峰塔的倒掉》)。一切“朽腐的名教”，“僵死的言语”，“侮蔑尽现在”的伦常，“堆在道路上的祖传，老例”，……都要毫不可惜地扫除掉。

鲁迅是第一个指出中国旧社会支配者有意识地用思想麻药来执行愚民政策的人。他深刻认识了封建统治阶级是如何巧妙用他们的意识形态来笼罩被治大众，而被统治的民众又如何不自觉地把统治者的意识形态来当做自己的思想（马克思和恩格斯在七十年前已经道破了这一真理）。例如一九二五年他在黄埔军官学校演讲时，就曾说过：

> 平民……**每每拿绅士的思想做自己的思想**。(《而已集·革命时代的文学》)

统治阶级就利用了民众的这种弱点，来从精神上加紧对民众实行压迫，以巩固其野蛮的统治。中国反动剥削者及其走卒们（所谓“阔人”、“上等人”、“正人君子”

之类），惯于提倡各种反动的复古思想和守旧精神，但他们自己却并不信守这些，他们只不过是拿这些作为欺骗和禁锢民众的符咒。鲁迅揭穿了这种虚伪的鬼把戏：

> 看看中国的一些人，至少是上等人，他们的对于神、宗教、传统的权威，是“信“和“从”呢，还是“怕”和“利用”？只要看他们的善于变化，毫无特操，是什么也不信从的，但总要摆出和内心两样的架子来。要寻虚无党，在中国实在很不少；和俄国的不同的处所，只在他们这么想，便这么说，这么做，我们的却虽然这么想，却是那么说，在后台这么做，到前台又那么做……将这种特别人物，另称为“做戏的虚无党”或“体面的虚无党”以示区别罢，虽然这个形容词和下面的名词万万联不起来。（《华盖集续编·马上支日记》）

“善于变化，毫无特操”正是中国的“做戏的虚无党”的卑劣特点之一。他们自觉地用扮戏的丑恶姿态来欺骗群众，遮掩自己的卑鄙龌龊。但是因为民众被麻醉太久了，不容易看穿他们的虚伪，于是被他们所利用的“传统的权威”压迫得不见天日。撕破他们的伪装和假面，打翻那蒙蔽大众耳目的“传统的权威”，这正是一切民主主义者最重要的启蒙任务，鲁迅正是最果敢地执行这任务的殊勋者。

鲁迅正确估计了封建意识形态对于人民的危害作用，但他深信反动统治者要依靠野蛮的精神统治来维持自己的剥削制度与压迫权力，是决不可能的，理由是，他们“无法禁止人们的思想”(《坟·春末闲谈》)。这正是一切反动统治者不能补救的遗憾：

> 于是我们的造物主——假如天空真有这样的一位“主子”——就可恨了：一恨其没有永远分清“治者与被治者”；二恨其不给治者生一枝细腰蜂那样的毒针；三恨其不将被治者造得即使砍去了藏着那思想中枢的脑袋而还能动作——服役。三者得一，阔人的地位即永久稳固，统御也永久省了气力，而天下于是乎

太平，今也不然，所以即使单想高高在上，暂时维持阔气，也还得日施手段，夜费心机，实在不胜其委屈劳神之至……（《坟·春末闲谈》）

正因为人民大众不尽是自甘居于奴隶地位的，所以“阔人的天下一时总难得太平”（同上）。鲁迅对中国人民并不绝望；他热烈地相信凭着人民大众自己的“猛志”与“实力”，是一定可以冲决统治者所设的天罗地网，颠覆“阔人的天下”的。“无论什么黑暗来防范思潮”（《热风》），自觉的人民大众“总是踏了这些铁蒺藜向前进”（同上）。大人老爷要想熄灭那燃烧在大众头脑中的反叛思想，岂非枉费心机吗?

但鲁迅认为黑暗的逆流阻力太多，唤起民众的觉醒和敌忾，不是一件容易的事，这需要进步分子有系统地坚忍地进行艰巨的改革事业。他说：

读史，就愈可以觉悟中国改革之不可缓了。虽是国民性，要改革也得改革。……（《华盖集·这个与那个》）

鲁迅所说的国民性的改革，就是在粉碎反动统治者的精神牢狱的战斗中，创建民众自己的意识形态，来代替腐败社会的“精神文明”，这是一个艰巨的启蒙事业。但是依靠中国的固有文化，决不能执行这种事业，因此只有输入西洋文化的血液，才能疗救中国民族的精神败血病。鲁迅在辛亥革命前夜，就曾指陈：“国民精神之发扬，与世界识见之广博有所属。”（《坟·摩罗诗力说》）在“五四”时代，他更勇敢地喊出打破旧偶像的口号。他力说：“旧像愈摧破，人类便愈进步。”（《热风》）他不但坚决反对一切闭关主义，而且也猛烈攻击“学了外国本领，保存中国旧习”的中体西用主义。诚然，在当时，他还没有接触到国际无产阶级的科学世界观与历史观，他只能从西洋资本主义的科学与文明的武库中取出对抗封建反动精神统治的武器，他说：“即使所崇拜的仍然是新偶像，也总比中国陈旧的好。与其崇拜孔丘、关羽，还不如崇拜达尔文、易卜生；与其牺牲于瘟将军、五道神，还不如牺牲于 Apollo。”（《热风·随感录五十六》）因为他认为“现在的外来思想，无论如何，总不免有些自由平等的气息，互助共存的气息”（《热风·圣武》)。在“五四”启蒙运动的初期，用西洋资产阶级的文明来对抗封建的古旧文明，在客观上自有其进步的意义。那时中国劳工阶级还没有在政治和思想上树立巨大的领导力量，农民也没有显示其自觉的战斗力量，厌恶封建文明和向往光明的进步知识分子采取西洋的文化武器，来打碎那桎梏人民理性的精神镣铐，正是必然的事情。然而在中国工人阶级由自在阶级转变为自为阶级以后，新的科学世界观与科学历史观逐渐代替了欧美资产阶级思想文化在中国的优越地位，旧的精神武器就不适用了。鲁迅终于明确看出了，在世界对立着两种不同的文化体系，一方面是帝国主义的即没落资产阶级的文明，另一方面是社会主义的即新兴无产阶级的文化；前者支持中国反动的封建文化，麻痹中国人民的觉醒，后者武装中国人民的头脑，推进民族解放与民主革命的伟大战斗。鲁迅选择了后一种文化体系来加强和刷新中国的理性运动——启蒙运动，虽然同时并不抛弃西洋进步资产阶级的文化成果。他不但热烈地提倡新启蒙运动，而且辛勤地介绍国际新兴的文艺理论与文艺作品。他屡次指出社会科学理论介绍到中国的必要，领导以无产阶级为中心以人民为本位的大众文化运动，帮助进步文化运动者改正了许多认识上和策略上的偏颇与错误，哺育了许多新进的文化干部。凡此都是他的新理性主义在新民主运动中的战绩。但是，他深知中国几千年的旧社会传统乃是积滞在历史河道里的厚重淤泥，不能清除这淤泥，疏浚人民大众的自觉的源流，要完成巨大的改革几乎是不可能的。列宁就曾说过："习惯的势力沾染千千万万的人，是一种可怕的势力。"(《什么是人民之友》)鲁迅也表示过同样的意见：

> 真实的革命者，自有独到的见解。例如乌略诺夫（案即列宁——心）先生，他是将"风俗"和"习惯"都包括在文化之内的，并以为改革这些很为困难。我想，但倘不将这些改革（疑为"但我想，倘不将这些改革"之误植。——我所根据的是《全集》版——心），则这革命即等于无成。……(《二心集·习惯与改革》)

这里自然不可把鲁迅的意思从唯心论的观点加以曲

解，他并非说先要改革风俗和习惯，再来发动革命，而是把这些改革作为整个革命事业不可怠忽的任务。旧的习惯势力如果在革命后仍然顽强地存在，不能和统治者的崩溃一同崩溃，就证明革命尚未成功，证明反革命还在伺隙反攻。要打破那阻塞历史川流的封建旧习惯，须要一切民主主义者和启蒙运动者深入民众的生活，实践艰苦的民众教育工作。鲁迅写道：

> 有志于改革者倘不**深知民众的心，设法利导改进**，则无论怎样的高文宏议，浪漫古典，都和他们无干，仅止于几个人在书房中互相叹赏，得些自己满足。（同上书）

一切反封建的理性主义运动，都没有超越民主革命的任务。鲁迅从开始启蒙工作起，直到接受社会主义策进新理性运动为止，不曾一时停止过反对旧中国的“精神文明”的战斗，这种战斗执行得比任何人坚决有力，它给予中国民主革命的影响几乎是看不见的，然而却是异常深刻广大的。今天活跃在中国革命最前线和转战于文化思想战场的青年，几乎没有不受过鲁迅的直接或间接的薰陶。他的辉煌的理性主义和现实主义，跟革命大众的战斗生活融合为一，铸成了新中国的革命风纪。一切顽恶的旧中国寄生虫和凶残的中华民族敌人，都不能动摇这崇山般的风纪。

凡是反封建的理性运动和民主运动，总是离开不了人的权利的尊尚的。欧美各国的资产阶级革命，都曾在革命旗帜上大书人权自由等类的字样，中国的革命运动也有过类似的情形。但资产阶级和小资产阶级的革命理论家和政治煽动家，很少不是在那里宣扬着抽象的人权论和人道主义，他们往往悬想着一些抽象的人权原则；待到劳动群众自觉到现社会的压迫和剥削和此等原则相冲突，而起来用斗争力量要求真实的生活权利和自由权利时，便遭受到过去人权论者或他们的后继者的残暴迫害。显然，抽象的人权主义和人道主义本身就包含了和大众利益不相容的矛盾。鲁迅也是坚决揭橥人权思想来对抗吃人的封建社会压迫的，然而他的人权思想大体上不是从抽象的原则出发，而主要是从具体的现实出发的。不错，他早年接受了尼采的超人思想，绍介过厨川白村的生命力学说（如《闷的象征》等），翻译过阿志巴绥夫的虚无主义作品（如《工人绥惠略夫》等），这些思想、理论与作品和鲁迅的现实主义风格本来是冲突的。然而在他尚未接触到科学社会主义的武库之前，为了要从封建专制主义的浓重黑暗中打开一条出路，他只能戽入这些泥浆，加以蒸馏，聊以慰藉在寂寞和饥渴状态中跟黑暗搏斗的战士。他在输入这些东西之时，或许没有觉察到它们的毒害。他所能看到的，是**它们在反封建的光照中和自己本相不尽相符的近似美妙的扩大投影**。因此，他从尼采那里强调了反因袭和个性解放的精神，从厨川白村那里强调了反权威和"生之欢喜"的思想（厨川白村的思想不过是叔本华、尼采、卡奔特〔E.Carpenter〕、柏格森〔Henri Bergson〕等的哲学思想在文学理论上的混合表现），而从阿志巴绥夫那里强调了反社会迫害和主张报复的性格。我们固然不能妄用那与康有为式的"托古改制"相对的"托洋改制"四字来形容鲁迅早期的思想，但鲁迅从某些外国思想学说的投影中撷取二三点，和他的现实主义思考融合起来，作为攻击旧社会的火力，这是不可否认的事实。错误的有毒的学说，在某些特殊条件之下，有时也可以通过历史的折光作用，作为一个思想家走向真理之门的意外的诱导力。达尔文因为读马尔萨斯的人口论而悟到物种的生存竞争（自然，倘使夸大这一点，把马尔萨斯的人口学说当做达尔文的思想泉源，那就是韩非子所说的“非愚即诬”了），便是思想史上有名的佳话。在现代世界文学史上，我们看见高尔基也曾受过尼采的影响（日本文艺批评家升曙梦曾经有过关于这个问题的讨论，见他的《高尔基的思想为人和业绩》），然而这并不妨碍他成为一个革命的现实主义者和社会主义者。鲁迅在早年部分的接受了尼采他们的影响，是和达尔文受到马尔萨斯的影响相似的，尤其和高尔基受过尼采的影响相像。假如他不是依靠中国反封建的民主主义和理性主义火光，不是凭借自己的批判的现实主义眼力，来输入尼采等的学说与思想，他就会变成尼采等的奴隶，而决不能作为中国伟大的启蒙导师。当中国革命运动的向前发展尖锐暴露了资产阶级的意识形态和劳苦大众利益相抵触之时，鲁迅就毅然决然抛弃了尼采他们的影响，而虚心地学习运用科学社会主义的新武器，并且很巧妙地运用它们来打击“黑暗的主力”，这就是鲁迅的可贵的蜕变，而这蜕变正反映着中国革命现实的血肉。

第三节　鲁迅的反封建的民主主义思想

鲁迅从鲜血淋漓的现实中看清了旧社会和它的支配者的残虐和卑劣，因此，他要否定过去的一切因袭与传统，这不仅是指前面所说的封建精神统治和反动意识形态，而是包括全部的封建专制统治。但他的否定封建统治，并非出以抽象的说教，而是从活生生的现实剥露中解除反动权威的盔甲，使一切吃人的僵尸赤裸裸地站在大众面前受严酷的拷问。他往往只是用笔和舌对吃人者提出公诉状，而让他的读者与听众自己去审判他们，但他决不吝惜他对恶势力的刑罚与攻击火力。《狂人日记》是他第一次控诉旧社会的吃人罪状的文书。他暴露了中国四千年来的历史，不过是吃人与被吃的历史，而所谓“中国的文明者，其实不过是安排给阔人享用的人肉的筵宴。所谓中国者，不过是安排这人肉的宴筵的厨房”（《坟·灯下漫笔》）。在野蛮的吃人制度之下，“有贵贱，有大小，有上下。自己被人凌虐，但也可以凌虐别人；自己被人吃，但也可以吃别人。一级一级地制驭着，不能动弹，也不想动弹了”（同上）。这就使旧中国充满了暴虐、贪婪、自私、欺骗、愚昧和麻木状态，这些脓血淋漓的“精神文明”历来就被反动统治者用仁义道德的锦绣包裹着。他们把民众压在“精神文明”的古旧长城底下，为的是要维持他们的吃人特权。推翻吃人的“精神文明”，扫荡人面豺狼的吃人特权，争取真实的人的权利，不正是中国人民实行自救的唯一道路吗？鲁迅把他的解放人民的希望寄托在全国青年身上，因此他大声疾呼：

> 扫荡这些食人者，掀掉这筵席，毁坏这厨房，则是现在的青年的使命。（《坟·春末闲谈》）

显然，他所要毁坏的，乃是建筑在骷髅上的旧中国，而决不是如虚无主义者眼睛里的整个中华民族。“所谓中国者，不过是安排这人肉的筵宴的厨房”这句话，除了用来攻击那烹人肉的旧中国，抗议吃人的旧制度而外，难道还有别的意义吗？假如鲁迅所要扫荡的，是他的"虚无主义"毁坏狂发作时所见到的整个中国，那么，他又为什么要噙着热泪来鞭策中国前进呢？为什么又要痛斥那些失掉民族自信力和民族自尊心的软体虫呢？

列宁在论及孙中山时，曾经说过："孙逸仙纲领的字里行间，充满着奋斗的真正的民主主义……他**丝毫没有不问政治甚至丝毫轻视政治自由的态度**。"（《中国的民主主义与民粹主义》）这句话也可以用来评价鲁迅（只要把"纲领"两字改为"作品"）。他的启蒙主义和理性主义并不妨碍他在作为思想革命家时，同时作为革命思想家，反之，它们是与现实的政治斗争血肉相连的。鲁迅不但自己绝不轻视政治，而且最憎恶那些自命清高不屑过问政治的超然派。他不但是民主政治的激烈主张者，而且到了晚年，成了一个卓拔的科学社会主义者和革命国际主义者。在《采薇》那篇速写小说里，鲁迅讽刺过那些轻视政治的超然派与中间派，你看他写得如何辛辣：

"'他们不配我来写'，他说，'都是浑蛋。'跑到养老堂里来，倒也罢了，可又不肯超然；跑到首阳山里来，倒也罢了，可是还要做诗；做诗倒也罢了，可是还要发感慨，不肯安分守己，为‘艺术而艺术。’”你瞧这样的诗，可是有永久性的：

> 上那西山呀采它的薇菜，
>
> 强盗来代强盗呀不知道这的不对。
>
> 神农、虞、夏一下子过去了，我又哪里去呢？
>
> 唉唉死罢，命里注定的死气！
>
> 你瞧，这是什么话？温柔敦厚的才是诗。他们的东西，却不但“怨”，简直“骂”了。没有花，只有刺，尚且不可，何况只有骂。即使放开文学不谈，他们撇下祖业，也不是什么孝子，到这里又讥讪朝政，更不像一个良民，……我不写……！（《故事新编·采薇》）

在这段讽喻里，映现了一个坚决的民主政治者和社会主义者重视实际政治的战斗姿影。他从来不掩饰他的写作和言论是跟现实政治血肉相连的。他的大半生没有停止过对反动统治者的“骂”，没有停止过“讥讪朝政”，这就使他成为“阔人”眼睛中的“不祥火鸦”，终身受到奚落，侮辱和迫害，而他所遭遇的命运恰正是一般被压迫大众的共同命运；他所诅咒和攻击的敌人，也正是一般被践踏者的共同敌人。然而可笑的是，那些嗡嗡营营的“完美苍蝇”，却在骂鲁迅为刀笔吏和骂人专家了。便是那些以“公正”面目出现的高人雅士，也在为鲁迅叹惋，可惜他浪费笔墨在骂人的事情上。他们不能也不愿了解，鲁迅的“骂人”乃是他的政治斗争的形式之一种（自然这里应该分别他对于民众敌人的攻击，和对于文化战友的规诤，不能把两者混为一谈）。马克思、恩格斯、列宁、约瑟夫、孙中山……这些伟人都曾在实际政治斗争中对敌人作过酷烈的怒骂和嘲讽。假如骂人者和被骂者不是超现实政治超阶级敌对的怪物，凭什么证明骂人和一个战士的伟大是不相容的呢？

在鲁迅还没有成为一个自觉的社会主义者之前，他是一个最奋勇、最清醒的民主主义者，他的民主主义愈到晚年，愈加锋利结实，而在“五四”时代和大革命时代，他的民主主义和理性主义有一种特别亲密的结合，这种结合表现在他反对奴隶主义反对复古运动和伸张人民权利的言论中：

中国人向来就没有争到过“人”的价格，至多不过是奴隶，到现在还如此，然而下于奴隶的时候，却是数见不鲜的。中国的百姓是中立的，战时连自己也不知道属于哪一面，但又属于无论哪一面。强盗来了，就属于官，当然该被杀掠；官兵既到，该是自家人了罢，但仍然要被杀掠，仿佛又属于强盗似的。这时候，百姓就希望有一个一定的主子，拿他们去做百姓，——不敢，是拿他们去做牛马，情愿自己寻草吃，只求他决定他们怎样跑。

假使真有谁能够替他们决定，定下什么奴隶规则来，自然就“皇恩浩荡”了。可惜的是往往暂时没有谁能定。举其大者，则如五胡十六国的时候，黄巢的时候，五代时候，宋末元末时候，除了老例的服役纳粮以外，都还要受意外的灾殃。张献忠的脾气更古怪了，不服役纳粮的要杀，服役纳粮的也要杀，敌他的要杀，降他的也要杀；将奴隶规则毁得粉碎。这时候，老百姓就希望来一个另外的主子，较为顾及他们的奴隶规则的，无论仍旧，或者新颁，总之是有一种规则，使他们可上奴隶的轨道。（《坟·灯下漫笔》）

正因为“中国人向来就没有争到过‘人’的价格”，所以在历史上经常被少数“主子”当做牛马算账，至多是由牛马升为奴隶。因此在“乱离之世”，就成了“想做奴隶而不得的时代”，在“太平盛世”，就成了“暂时做稳了奴隶的时代”（同上书）。绝大多数的人出没在奴隶生活状态中，少数占有吃人烹人的“厨房”的特权者，便在千千万万的骷髅上荒淫纵欲；他们要使被吃者永不自觉，永不反抗，而且“使牺牲者直到被吃的时候为止，还是一味的赞叹他们”（《朝花夕拾·狗猫鼠》），便施行极端残苛恶毒的愚民政策，来稳定他们的“愚民的专制”：

暴君的专制使人们变成冷嘲，**愚民的专制使人们变成死相**。大家渐渐死下去，而自己反以为卫道有效，这才渐渐近于正经的活人。（《华盖集·忽然想到》）

所谓“愚民的专制”正如周扬所解释的，是“一种肉体的奴役加上精神的奴役，必使被吃的人不知道自己是被吃，而被吃的人，同时无意中也在吃人”。这种“愚民的专制”主要是建筑在封建主对农民劳动者的残酷的超经济榨取上；和土地剥削关系结不解缘的商人资本恰恰增强了此种榨取，后来的买办资本更加深了这种奴役。剥削者不但利用经济力量，而且利用特有的“精神文明”来长期摧残民众的理性与人格，用软硬兼施恩威并用的统治手段，迫使被治者匍伏在他们的脚前，奉献自己的血和肉，供他们狂饮大嚼，随后还得感谢“皇恩浩荡”。吃人的和被吃的像各色各样的鱼群似的，丛集在一湖死水里，大家都呈现“死相”，缺少生气。鲁迅愤然揭露了这种吃人与被吃的惨情，他要使一切被人吃而又无意中吃人的大众认识自己的生活，改造自己的生活。他在论及萧伯纳的时候，曾经说过："譬如有一堆蛆虫在这里罢，一律即即足足，自以为是绅士淑女、文人学士、名宦高人，互相点头，雍容揖让，天下太平，那就全体没有什么高下，都是平常的蛆虫。但是，但果有一只蓦地跳了出来大喝一声道：'这些其实都是蛆虫，'那么，——自然，它也是从茅厕里爬出来的，然而我们非认它为特别伟大的蛆虫则不可。"(《南腔北调集·论语一年》)这段用来称颂萧伯纳的话也可借用来评价鲁迅自己。正当"绅士淑女、文人学士、名宦高人"，在一湖死水里"互相点头，雍容揖让，天下太平"的时候，鲁迅蓦地跳到水面上来，他大喝一声道："这些都是吃人和被吃的鱼！"自然，他也是从死水里浮上来的，然而我们非认他为特别敏感，特别勇敢的鱼不可。

但鲁迅并不止于勇敢指出吃人制度的惨酷，他更进一步号召大众用动作和反抗，把自由的洪水引进死湖似的中国。他说：

> 世上如果还有真要活下去的人们，就先该敢说，敢笑，敢哭，敢怒，敢骂，敢打，在这

可诅咒的地方击退这可诅咒的时代！（《华盖集·忽然想到之五》）

我们目下的当务之急，是：**一要生**存，二**要温饱**，三**要发展**。苟有阻碍这前途者，无论是今是古，是人是鬼，是三坟，五典百宋千元，天球河图，金人玉佛，祖传丸散，秘制膏丹，全都踏倒他。(《华盖集·忽然想到之六》)

只有用坚决的韧性战斗，“在这可诅咒的地方击退这可诅咒的时代”，使中国脱胎换骨，蜕去那层惨白污臭的表皮，呼吸新时代的空气，才能取得“生存”、“温饱”、“发展”的保证。如果从民族的要求来解释，那么，他的所谓“生存”，“当然就是“民族独立”，所谓“温饱”，当然就是“民生幸福”，而所谓“发展”，当然是“民主进步”，这三者是不可分开的。在他看来，要测量各种文物制度是否有存在的价值，是要“问他有无保存我们的力量，不管他是否国粹”，因为“保存我们，的确是第一义”(《热风·随感录二十五》)。这和一切复古卫道的“国粹”派刚巧相反，因为国粹派是要用死人的力量拖住活人，使青年人为旧中国殉葬，而鲁迅是执着“生之欢喜”，一切为了生存，为了温饱，为了发展。只有从唯物论的观点出发，才可解释鲁迅攻击吃人社会的本意，一切把鲁迅诬谤为发泄孤愤的虚无主义者的论客正是鲁迅的罪人。

鲁迅是封建专制主义的猛烈攻击者，是民主政治制度的热烈追求者，因此他在辛亥革命时代，对革命怀着渴望光明似的期待，并且一度参加过光复会。（周作人说他没有参加光复会是不对的，因为据景宋、许寿裳诸先生所说，鲁迅先生确曾做过光复会的会员。）然而辛亥革命的流产，使他感到悲愤。他描写辛亥“光复”后最初的印象说道：

> 我们便到街上去走了一遍，满眼是白旗。**然而貌虽如此，内骨子是依旧的，因为还是几个旧乡绅所组织的军政府。**……（《朝花夕拾·范爱农》）

辛亥“光复”后，岂止绍兴一地的情景是如此，全中国都不是"貌虽如此，内骨子是依旧吗？"那些由地主绅商包办的反动政权，不是在最初的白旗和后来的五色旗之下继续维持吃人制度吗？"中国固有的精神文明，其实并未为共和二字所埋没，只有满人已经退席，和先前稍不同。"(《坟·灯下漫笔》）在《阿Q正传》里，鲁迅描写光复后，举人老爷在那里帮办民政，把总依然做着武官，一切官僚制度"一仍旧贯"，所谓改革至多是表现在头发上，即"枉然失去了一条辫子"，或者如阿Q似的"用竹筷盘上他的辫子"(《华盖集·续编的续编》)。鲁迅在《头发的故事》那篇小说里，就带着强烈的讽刺意味暗示革命流了许多血，其最大收获不过是得到了剪辫子的自由。后来，他又用幽默的语调写道：

我的爱护中华民国，焦唇敝舌，恐其衰微，大半正为了使我们得有剪辫的自由。假使当初为了保存古迹，留辫不剪，我大约是决不会这样爱它的。(《且介亭杂文末编·因太炎先生而想起的二三事》)

然而他的“爱护中华民国，焦唇敝舌，恐其衰微”的热情烙印着他的文字思想，依然是不可掩藏的。他最引为痛心的，是费了巨大的鲜血代价所换得的中华民国，依然被黑暗的统治笼罩着。《头发的故事》有一段写道：

> 多少故人的脸，都浮在我眼前。几个少年辛苦奔走了十多年，暗地里一颗弹丸要了他的性命；几个少年一击不中，在监牢里身受一个多月的苦刑；几个少年怀着远志，忽然踪影全无，连尸首也不知那里去了。
>
> 他们都在社会的冷笑恶骂、迫害倾陷里过了一生；现在他们的坟墓也早在忘却里渐渐平塌下去了。
>
> 我不堪纪念这些事。
>
> 我们还是记起一点得意的事来谈谈罢。（《呐喊·头发的故事》）

被刽子手和“正人君子”继续统治的中华民国，依然是充满着奴隶的悲鸣与呻吟，广大的农民和劳苦大众受着残酷剥削者的践踏与鞭挞，一般人民仍旧度着铁索锒铛的不自由的愁惨生活，人的权利变成弃在路上一任人畜践踏的药渣。在这样的惨淡局面之下，中华民国的灵魂是黯然失去了。鲁迅写道：

> **我觉得仿佛久没有所谓中华民国。**
>
> 我觉得革命以前，我是做奴隶；革命以后，就受了奴隶的骗，变成他们的奴隶了。
>
> **我觉得有许多民国国民而是民国的敌人。**
>
> 我觉得许多烈士的血都被人们踏灭了，然而又不是故意的。
>
> **我觉得什么都要从新做过。**
>
> 退一万步说罢，**我希望有人好好地做一部民国的建国史给少年一看**，因为我觉得民国的来源，实在已经失传了，虽然还只有十四年！
>
> （《华盖集·忽然想到之三》）

这里横溢着一个怀着高度正义感的知识分子的悲

愤，甚至闪漾着他的夹杂着讽嘲的哀愁，然而有谁能否认这里沸腾着一般被压迫民众的愤激而凄苦的心声。“什么都要从新做起”，不正是过着奴隶生活的广大人民争取解放的唯一出路吗？那些用断章取义的卑劣伎俩证明鲁迅“彻头彻尾是一个虚无主义者”的论客们，懂得什么叫“从新做起”吗？

自然，我不是说鲁迅早年的文字里没有忧悒和失望的暗影，骗人者兼吃人者用烈士的血花换来的胜利，战士们（如他后来所说的“孙中山先生及其他先烈们”——见本文前段）遭受奴才们侮辱和杀伤的惨史，民众们在无边的刑场和牢狱中的哀号，使期待光明而惨遭打击的猛士不由不震悚和愤慨；当震悚和愤慨不能或不愿用直接形式表达出来时，从心坎里涌出来的讽嘲，很自然会**夸张那窒迫着光明势力的现实阴暗面**（艺术家是懂得夸张手法在艺术上的效用的，然而很少有战士们懂得夸张〔不是过高估计敌人〕在战斗上的效果的），于是热狂的讽嘲在现象上就显示为阴冷的忧悒与失望。鲁迅是一个富于热情的刚毅战士，他永远不会对人生绝望，故意装着多愁善感的面貌，用主观的灰黯感去渲染世界，在他是不屑为的。然而当横暴的黑暗云雾暂时掩住了新生的阳光时，他便不免将向往光明的爽朗热情压缩在他的夸张黑暗面的讽嘲里。由于他早年尚未接触到浩浩荡荡的劳苦大众战阵，使他看到的黑暗经常对光明占上风，这就更令他的作品和议论带着“热得发冷的热情”，此种热情在现象上常常表显得阴森逼人。譬如他有一次对民国发过如此的感慨：

> 啊，造物的皮鞭没有到中国的脊梁上时，中国便永远是这样的中国，决不肯自己改变一根毫毛！（《呐喊·头发的故事》）

后来他又描写自己在民国初年的心情：

> 我那时对于“文学革命”，其实并没有怎样的热情。见过辛亥革命，见过二次革命，见过袁世凯称帝，张勋复辟，看来看去，就看得怀疑起来了，于是失望，颓唐得很了。（《南腔北调集·自选集自序》）

鲁迅夸张了现实的黑暗面，同时也就连带夸张了自己的失望情绪与怀疑态度。然而这不过是他的心胸的一面，在另一面正跃动着他那不甘被黑暗淹没的积极看取人生的情趣。他在描写了上述的失望心情之后，接者又说：

> 不过，我却又怀疑于自己的失望，因为我所见过的人们、事件，是很有限的，这想头，就给了我提笔的力量。（同上）

这里，很坦白地解剖了他的怀疑心绪的根由。当他不久接触到无数有为的“人们”和无数悲壮的“事件”以后，他的战斗豪情就以异常奔放的雄姿倾泻在人生的战场里了。不过，必须指出，即令在他用怀疑的眼光看取现实的阴暗面时，他也并没有掩藏自己与“前驱者取同一的步调”的行进热情。他在作品里之所以要“删削些黑暗，装点些欢容”（以上均见《自选集自序》），有时“不恤用曲笔，在《药》的瑜儿的坟上凭空添上一个花环，……”（《呐喊·自序》），不仅如他自己谦抑地所说的“不愿将自以为苦的寂寞，再来传染给……正做着好梦的青年”（同上），或者“聊以慰藉那在寂寞里驰奔的战士”（同上），而且分明是由于他深信：“人类总不会寂寞，因为生命是进步的，乐天的。”（《热风·生命的路》）本着这种自信，他就不忍教大众长久逼视暗与冷的烟尘，他要指点大众眺望光与热的远景，让人们能够清醒找到历史进展的道路。因此他虽然痛烈地斥骂和诅咒旧中国的没出息，“不肯自己改变一根毫毛”，可是他毫不抑低他的高度的民族自信力与民族自尊心。这种态度越来越鲜明地表现在他的议论和作品中。他在大革命时代这样歌唱道：

> 中国经了许多战士的精神和血肉的培养，却的确长出了一点先前所没有的幸福的花果来，也还有逐渐生长的希望。（《而已集·黄花节杂感》）

大革命推动了中华民族的巨大觉醒，掀起了全国的争自由的浪潮，使他对正在生长的新中国充满了光明的热望。旧时的阴郁色彩从他的作品中褪去了，在他的文字里闪现了新中国的面影。虽然在大革命失败后，他又不时吐露出阴惨逼人的悲愤，然而那悲愤正像隐藏在冰雪中的炸弹的爆裂，它使人震悚，使人不自觉对惨酷的现实生出反抗的心情，同时不得不去检讨过去失败的血史。在他积极参加和领导集团主义的战斗队伍之后，他的以大众的憎爱为憎爱的生活态度，使他对人生，对中国，对世界投射了比前更明快、更爽朗的热爱光辉。假如说，在以前他对现实黑暗面的诅咒和攻击几乎湮没了他对光明的咏叹与赞美，那么，在他成为集团主义的主将之后，他的歌颂光明的豪情和痛击黑暗的正气，就像两股异常澄碧的山泉在巨川中交流起来了。一九三三年杨杏佛被刺，他写了一首悼杨的诗，是："岂有豪情似旧时，花开花落两由之。何期洒泪江南雨，又为斯民哭健儿。"似乎当时颇带有感伤的气氛，但其实这正是鲁迅的战斗豪情最奔放的时期。同样地，他对于柔石等的纪念文（《为了忘却的纪念》）的哀怨悱恻也不能掩盖他的豪迈气概。正在他生活的最后几年，他特别发扬了那最可宝贵的民族自信力和民族自尊心。

> **有人说**过这样的话：鲁迅先生的文章的力量，是跟着他自己的思想走的。在写最初的一篇小说《狂人日记》以前，他过着一段蛰伏的生活，对人生的失望和在思想上的怀疑，使他甚至不能写作。《狂人日记》以后的《呐喊》和《热风》的时代，他成了反封建的积极的战士。这时他的文字就锋利、明快而有生气。当他作《彷徨》、《华盖集》时，忧郁的思想又笼罩了他，虽然也在战斗，但思想的苦闷使他的文字有了琐碎无力的缺憾。他的文字的炉火纯青时代，其实是在他接受了更新的思想以后，创作固然没有了，但《伪自由书》之类的杂感文里，却表现着他的文字艺术登峰造极，而影响也最大。（艾思奇：《民族的思想上的战士》）

艾思奇所引的这个或人的意见（不是艾思奇本人的意见），对鲁迅不免有误解之处，例如他说在鲁迅写作《彷徨》与《华盖集》时，“思想的苦闷使他的文字有了琐碎无力的缺憾”，对于《彷徨》与《华盖集》的评价是不恰当的。大约从一九二四年到一九二五年之间，也就是鲁迅写《彷徨》和《华盖集》的期间，是他和北洋封建军阀官僚及走狗式的文人学者作孤军困战的时期，那时“五四”时代的文化革命战线起了分裂，“五四”健将“有的高升，有的退隐，有的前进”（《南腔北调集·自选集自序》），他经验了一回同一战阵中的伙伴的这种巨大变化，使他怀着“依然在沙漠中走来走去”（同上）的寂寞心情。正像他在《题彷徨》的那首五言绝句里所表现的：“寂寞新文苑，平安旧战场。两间余一卒，荷戟独彷徨。”（《集外集》）因此他感觉到，这一期间他的文字“技术虽然比先前好一些，思路也似乎较无拘束，而战斗的意义却冷得不少。新的战友在哪里呢？”（《自选集序》）在如此的心境之下，他不能不把过去“五四”时代洋溢的战斗热情暂时压缩在他的分泌忧悒感的笔底下，同时不能不用转弯抹角的曲笔来表达他对于旧社会与恶势力的厌恶与抗争，这样就产生了他的《徨彷》、《野草》与《华盖集》，但实际上收集在《坟》里的好几篇杂感文也是这一时期的产品。这一期间的文字固然常常掩映着悲郁与苍凉的波影，然而在那波影底下，却分明潜流着他的从“五四”雷雨过渡到大革命暴风雨的期待战友的长征情热，这样的情热，是大革命暴风雨到来的前夜与初期一个“荷戟彷徨”者的正义感与求友欲的合流，是一个追求光明和战取新生的民族斗士永远前进的内燃力量，因为它不能直接洋溢到战斗生活的表面上来，不得不隐藏在凄清寂寞的波光之下，就特别易使人们感到当时鲁迅的文字充沛着感伤和悲悒的气氛。然而说他的这一时期的作品琐碎无力，那分明是不能服人的。只要举出《彷徨》中的《祝福》、《示众》、《孤独者》、《伤逝》，《野草》中的《这样的战士》、《复仇》、《淡淡的血痕中》，《华盖集》中的《忽然想到》（特别是五至六）、《夏三虫》、《战士与苍蝇》等篇，就可以反驳这种粗率的论断。而同一期间写的《春末闲谈》、《灯下漫笔》、《杂忆》、《论睁了眼看》、《再论雷峰塔的倒掉》、《论费厄泼赖应该缓行》等杂感文（后来都收集在《坟》里），都是闪耀着革命真理的工作；正如瞿秋白所批评的：“《坟》以及整部的《华盖集》……都包含着猛烈的攻击统治阶级的火焰。”（论《鲁迅杂感》——注意：瞿秋白所评述的只以鲁迅的杂感文为限，因此《彷徨》与

《野草》没有提到。）只要是善于读鲁迅的文字的人，应当承认瞿秋白的批评是对的。

然而，在前引的一段意见中，我们承认有一点是说对了的，就是鲁迅的思想和情怀经过了几度转变，这种转变过程不能不影响到他的文字的内容与情调。大革命失败不久之后，他从实践和理论上解决了“新的战友在哪里”（《自选集·自序》）的苦闷问题，于是采取正面打击黑暗的战斗方式，和人民大众的内外敌人鏖战，他的笔锋正像出硎的新刃，直刺入民众敌人和民族世仇的内心，这和他在过渡期间带着阴郁和怀疑的色彩的笔调是两样的。在某种意义内是回复了“五四”时代的明快犀利矫健刚劲的作风，但他的晚年的文字，却又不同于“五四”时代的文字，因为它对于现实的反应特别敏锐、广泛、深刻、有力，它表现了新人群的悲苦、怨愤、挣扎、觉醒、怒吼、驰突和苦战，泛溢着鲜爽雄壮的集体主义朝气：恰像破晓前的洪钟声引起山鸣谷应，使漏夜在荒野长征的人群忘了寂寞和倦怠，而想起了曙光不久就要照临，因而更坚定了并整饬了一同前进的步伐。

鲁迅的民主主义思想的一个最大特点，就在于他处处以人民为本位，坚决主张用人民的自觉与行动，来对抗反动统治者的专横与压迫。他认为一切反动统治者及其思想代表所想到的“治国方法”，“都是为了治民众者即权势者设想的方法，为民众本身的，却一点也没有”（《且介亭杂文二集·在现代中国的孔夫子》）。“一般以自己为中心的人们，决不肯以民众为主体。”（《老调子已经唱完》）人民不应对压迫者怀着任何幻想，因为摧残民众，阻挠改革，正是一切压制者共同的本相。例如他在论及袁世凯时，曾经这样说：

> 袁世凯在辛亥革命之后，大杀党人，从袁世凯那方面说来，是一点没有杀错的，因为他正是一个假革命的反革命者。
>
> 错的是革命者受了骗，以为他真是一个筋斗，从北洋大臣变了革命家了，于是引为同调，流了大家的血，将他浮上总统的宝位去。到二次革命时，表面上好像他又是一个筋斗，从“国民公仆”变成了吸血魔王似的。其实不然，他不过又显了本相。……

所以我想，中国革命的闹成这模样，并不是因为他们“杀错了人”，倒是因为我们看错了人。(《伪自由书·杀错了人异议》)

袁世凯正是一切杀人的压迫者的代表人物，革命民众流了自己的血，将那些欺弄人民的大骗子浮上治人者的宝座，到头不免要吃大苦头。因此，他剀切指明，人民唯有用独立的战斗去反抗压制者：

事实既然教给了这些，仅存的路，就当然使他们（小百姓）想到了自己的力量。(《南腔北调集·谈金圣叹》)

鲁迅始终不松懈反压迫制度的斗争。他的笔和舌总是不断对准黑暗的政治力量喷出攻击的火焰。他把一切“狼吞虎咽”吃尽民脂民膏的民贼称为“坐寇”(《谈金圣叹》)，把那些讥笑毁谤民主革命战士的奴才称为“完美的苍蝇”(《苍蝇与战士》)，把那些帮忙反动统治欺骗群众的文士称为“挂着小铃铎”的“山羊”(《一点比喻》)，把那些用虚伪的“人权论”来粉饰黑暗政治的帮忙文人称为“救火的鹦鹉”(《王道诗话》)；把那种“叫民众看见是民权，而民族祖宗看见是忠孝”的虚伪参政制度称为“两面光滑”的“艺术”(《最艺术的国家》)；这一类的讽刺在反对黑暗政治与压迫制度的民主运动中，发挥了特殊的武器作用。

正因为鲁迅从来不轻视政治斗争，并且特别反对“超于政治”的偏见与空想（见《魏晋风度及文章与药及酒之关系》与《论第三种人》等篇），所以他的民主主义始终是带有一贯的革命性与战斗性的。他在青年时代就特别歌颂“恶物悉颠”的“破坏”（见《摩罗诗力说》)，而激烈攻击那些维持现状“嫉视破坏”的庸夫俗子；但他所赞美的破坏，不是“寇盗式的破坏”，也不是“奴才式的破坏”(《再论雷峰塔的倒掉》)。就是“一切是仇雠，一切都破坏”的绥惠略夫主义，他也同样不赞成（见《华盖集续编 · 记谈话》)。他颂祷“将旧轨道……一扫而空”的“革新的破坏”（同上），同时反对，“在瓦砾场修补老例”的改良主义，这就是他的彻底革命思想的要点。当大革命前夜北京反动政府在用屠刀维持黑暗的统治时，他预见了在压迫和黑暗继续增加中，“可以发生较激烈的反抗与不平的新分子，为将来新的变动的萌蘖”（《两地书》），他同时斥责了那些诬蔑革命的无耻谰言（如“讲革命是为的图利”，“过激派共产公妻”之类。见《华盖集·论辩的灵魂》）。在广州时，他讴歌革命说：“其实革命是并不稀奇的，唯其因为有了它，社会才会改革，人类才会进步。”（《而已集·革命时代的文学》）。他赞美为民族和社会奋斗牺牲的革命家说：“我深深感到革命家的伟大……唯独革命家，无论他生或死，都能给大家以幸福。”（《而已集·黄花节杂感》）在大革命暴风雨过去以后，他领导中国的大众文化运动，在民主革命的理论和策略上作了许多不朽的贡献。一切黑暗主力的卫队和喉舌，一切吃人恶魔的帮忙和帮闲，一切自命为“折中、公允、调和、平正”的绅士学者，一切幻想“离开战斗而独立”的“第三种人”，一切“非革命的革命急进论者”，全都逃不过他那鹰隼似的眼睛，逃不脱他的严厉的攻击和批判，他的革命实践更磨锐了他的革命思想的锋刃。

鲁迅的民主主义是中国民主革命运动发展的反映与

产物，但它转过来又经过无数青年的传播与文化运动的发展，充实了中国民主革命运动的内容，增大了中国民主主义思潮的活力。他的民主思想的最大特色，就是带着科学的理性主义和战斗的现实主义；新理性主义使他成为伟大的革命民主主义者和思想革命家，而新现实主义则使他成为彻底的民主主义革命者和革命思想家。

第三章　民族主义者和国际主义者的鲁迅

第一节　表现在鲁迅思想中的民主主义与民族主义的统一性

被压迫民族的革命民主主义，和它的民族解放运动，是以交互渗透的作用统一起来的。在中国革命运动中，反封建、反专制的民主主义，不能不带有反帝国主义、反异族压迫的民族主义色彩，另一方面，革命的民族主义，也不能不含有“反对压迫的一般民主主义内容”（列宁）。鲁迅的思想和工作是最生动最深刻地反映了这一革命特质的。这个一身兼为思想革命家和革命思想家的战士，不单用艺术的形式和政论的内容之织结来标出他的思想特色，尤其值得注意的是，他用最明细的笔触表现了中国民主主义和民族主义的交流与进展。

中国古老的社会秩序，在外来侵略者的摧压之下，日益趋于溃烂，早在清末已经成了极显明的死症；甚至连颟顸的反动统治者也感到中国遭到“三千余年一大变局”（李鸿章:《壬申奏折》），感到“天下之变岌岌可危”（张之洞:《强学会序》）。然而，他们伤悼腐烂社会秩序的哀鸣丝毫不能表现民族主义的要求，恰恰相反，他们正企图以夷制汉，“用西洋物质文明的绷带来包裹中国残余封建制度的烂疮”（拙著:《中国民主宪政运动史》），这就是洋务运动的本质。后来，以康、梁、谭为领袖的新党用了比较开明的手法，想在满清王朝试演变法维新的御前戏，他们提出了立宪国会说，要求皇上“厘革积弊，修明内政，取法泰西”（康有为），相当代表了市民层的进步要求，可是他们实际不过是带着二重奴隶枷锁打扫民族牢狱的新士大夫。他们所看重的，不是百姓的觉醒，而是英主的“圣心”（梁启超在《光绪圣德记》中说“上乃一切独断，裁自圣心”），这终于使他们的维新好梦破灭于六君子的血泊中。不过从那以后，“维新”、“立宪”的呼声日益在朝野沸腾起来了。野蛮昏聩的满清王朝，最后甚至不能不乞灵于预备立宪的骗术，企图渡过被革命威胁的噩梦。“奔走干进之徒”，“至愚屯之富人”，“善垄断之市侩”（《坟·文化偏至论》），就利用这个机会来大唱其“金铁国会立宪”（同上）的时调。但民族的瘫痪只是日见沉重，民众的痛苦跟着日益加深。事势非常清楚地指明出来了，不推翻那为中外压迫者安排的人肉筵宴，只是一味打算将那安排人肉筵宴的厨房粉刷一新，中国人民是绝不能摆脱被吃的悲惨命运的。

在这时候，自然有孙中山领导的民族革命运动，足以冲破笼罩全国的死气。然而，当时“索诸中国，为精神界之战士者安在？”（《坟·摩罗诗力说》）文化思想运动的贫乏与干枯，恰正反映市民层的软弱。这是一个极苦闷的时代，鲁迅的青年时期就是在这苦闷中渡过的。

受过维新党人影响的青年鲁迅，抱着“促进国人对于维新的信仰”（《呐喊·自序》）的大希望，跑到日本去学医，然而一到了东京，异邦人士的骄横逼人，中华民族的风雨飘摇，祖国同胞的颟顸麻木，都使他感到羞愤与惶悚。他这时的心境和抱负，恰如他在一首小诗中所写出的：

> 灵台无计逃神矢，风雨如磐黯故园。寄意寒星荃不察，我以我血荐轩辕。(《自题小像》)

鲁迅目击中国民族陷于半死不活的状态，无数人民被折磨得失去了民族自信力，失去了民族安危感，甚至失去了被吃的痛苦感觉，这使他异常寒心，但并不绝望。他在研究国民性的病根（见许寿裳:《怀旧》)，在渴望借助文艺来改变国民的精神（见《呐喊》)。如果人们不依据超历史限制的苛求来看问题，不难看出，鲁迅在青年时代所提出的改造国民性，启发国人自觉和解放个性之类的要求，正是针对着当时亚细亚式的野蛮和黑暗的，是针对民族被奴役的苦难命运的。他作为一个爱国者，痛心于民族的受难，痛心于国民的麻木，同时又作为一个革新思想者，憎恨僵硬的传统制度与传统思想，憎恨“宁蜷伏堕落而恶进取”（《摩罗诗力说》）的沉重积习。显然，在他的尚未成熟的青年时代思想中，是交流着爱国主义与启蒙主义的要求，而这正是后来他的民族主义精神与民主主义理想统一起来结合为一体的胚种。

第二节　鲁迅的民族主义和民主主义要求为什么发出于国民性的解剖与批判

鲁迅的民族主义和民主主义要求何以发出于国民性的解剖与批判？这是一个颇值得研究的非常有趣的问题。机械唯物论者根本否认民族性或国民性的存在，甚至有些外行的“马克思主义者”也以为只有阶级性，而没有民族性。但实际上，一个民族有它的特殊心理状态，这是不可否认的。史太林说：

> 民族与民族的分别，不但由于他们的生活条件的不同，而且由于表现在民族文化特质上的精神容貌的差异。如果操同一语言的英吉利、北美利坚和爱尔兰，构成三个不同的民族，那

么，在这一点上，他们代代由于不同的生存条件的结果所造成的那种特殊的心理状态，实在演有不少的作用。当然，心理状态，或——像别种说法——“民族性格”，其本身对于考察家是一种不可捉摸的东西，但是，它既然表现于民族所共同的文化之特质，那么，它就是可以捉摸的，而且不能忽视的。不消说，“民族性格”并不是永久不变的一种东西，它是随着生活条件的变化而变化的；但是，它既是存在于每个特定的时期，那么，它在民族的形状上，便印下了自己的痕迹。(《论民族问题》，张仲实译，九——十页）

如果每一个民族有它的特殊的心理状态——特殊性格，并且这性格是随着生活条件的变化而改变的，那么，一个思想战士用了他的思想解剖刀来解剖中国的民族性或国民性，找出它的病根，以便改变或疗救，这种工作的意义是绝对不能抹煞的。不管鲁迅在青年时代对于国民性的理解与解剖，是如何包含着在时代限制之下所不能避免的缺点，但他是最早提出这个问题的人。要解答为什么他要从国民性的解剖来表现他的民族主义与民主主义的要求，这不能单拿他个人的生活条件与教养环境来说明，而必须考察中国社会政治生活的特殊状态，首先，必须说明帝国主义侵入以前的社会状态。

如众周知，中国封建社会的长期停滞性一向成了中国历史发展的一个重大特点。封建地主阶级对于农民的非人剥削经常在麻痹农民的劳动生产性的积极发展，破坏农村以至整个社会的生产力，使广大劳苦民众时常处于赤贫、饥饿与愚昧的状态中。商业资本与利贷资本和土地所有是胶结得不可分开的。由于原始资本积蓄的条件的一般贫乏，商业资本和利贷资本未能转化为产业资本，农民与手工业者的劳动也就不能转化为产业劳动。因此，商人资本与利贷资本只是使封建经济制度更加僵化，更加腐化。农村生活，一半由于地主、商人与高利贷者三位一体对于农民的残酷剥削，一半由于农村公社极端守旧与生产力不断破坏的传统状态（不消说，这两个原因是互相联系的），呈现着滞钝、闭锁、猥陋与萎缩的“死相”。这种“死相”因着封建社会的上层建筑的压力而更加深，而且扩大到更广的社会生活圈子里去。建筑在封建经济基础上的中央集权的专制政体与官僚制度，是封建地主的保护权力。有时在全国对立着几个割据的王国，而这并不妨碍它们对于封建生产方式的共同维持作用。剥削阶级不仅利用经济、政治、武力来维持其压榨制度，同时还利用反动的精神力量（愚民政策、科举制度、知识独占、文化破坏等）来麻痹民众的头脑。被压迫民众本来也有他们的文化创造力量，但“士大夫常常夺取民间的东西，……这些东西一沾他们的手，也就跟着灭亡”（《花边文学》），因此，民众的创造力就大大遭殃。汉代以后，儒教成了地主阶级的精神统治威权，南北朝以后，统治阶级更利用佛教，但没有动摇孔子在民间的偶像作用。“愚民的专制”（鲁迅语）更加强了封建生产方法的顽固性与停滞性。这样，不但被剥削被统治的劳苦大众经常生活于淤积的死水中，连剥削者与统治者也磨去了进取的锐锋。诚然，大规模的农民叛乱与异族入寇，可以搅动死水似的社会生活；但缺少先进阶级的领导的农民叛乱，不是很快给统治者的刀锋削平，就是给新的统治者利用去做敲门砖，根本不能变革固有的生产方式与精神生活。而异族的侵入中原，也并不改变土著的封建制度，他们只是将这种剥削制度改装，以建立他们自己的王朝。而且，在异族入寇后，中国的剥削阶级又匍伏在“胡儿”、“鞑子”的跟前效忠，借助新主子的刀锋来镇压同族的被压迫大众。显然，外寇与内寇的骚动都不曾引起中国社会的变质。正如鲁迅概然指出的：**“外寇来了，暂一震动，终于请他做主子，在他的刀斧下修补老例；内寇来了，也暂一震动，终于请他做主子，或者别拜一个主子，在自己的瓦砾中修补老例。”**（《坟·再论雷峰塔的倒掉》）

自从帝国主义的炮口强吻中华处子以后，古旧的封建社会制度给列强的魔手搂抱得半死半活。自然经济生活日益崩坏下去了，但并未引起全面的生产方式突变。为了便利掠夺，帝国主义不能不利用土著的封建残余与地主阶级，遏阻中国民族资本主义的勃兴。在社会经济殖民地化过程中，发生了买办资本，它只是加深着中国民族经济对外的隶属关系。民族资本主义虽然微弱地生长着，但不能挣脱国际资本的枷锁，因此民族资产阶级历来就是以先天不足后天失调的衰病之身挣扎着，工人阶级在最初半个多世纪尚未成长起来，农民残喘于帝国主义与地主阶级的重重践踏之下。在如此的社会经济状态上僵卧的专制政体与官僚主义必然沉陷在失败主义与奴隶主义的泥塘中，过去土著剥削阶级对外寇甘于屈辱的传统更加深了这种陷落的深度。**专制主义与失败主义结合，官僚主义与奴隶主义结合，不论在政治上，经济上，文化上，都封锁了民族进步的道路。**是的，企图冲破这种封锁的维新运动终于起来了：

> 古书里的弱水，竟是驱了我们，**闻所未闻的外国人到了**，交手几回，渐知道“子曰”，“诗云”似乎无用，于是乎要维新。
>
> 维新以后，中国富强了，用这学来的新，打出外来的新，关上大门，再来守旧。（《热风·随感录》四十八）

然而，“维新单是皮毛，关门不过一梦”（同上），中国依然生活在半封建半殖民地的状态中。其后，辛亥革命撤除了满人在中国的筵宴，但“中国固有的精神文明，并没有为共和二字所涸没”(《灯下漫笔》)。实际上，自鸦片战争以来，所谓精神文明受了帝国主义的炮火洗礼，更溃溢了失败主义与奴隶主义的脓血。这种脓血淤积在旧中国，造成了麻痹中国民族活力的亚细亚式的浓厚毒氛：顽固而又无自信，守旧而又无特操，贪婪而又怕进取，残暴而又怯弱，自大而又自卑，吃人而又被吃，狡诈而又愚昧，虚伪而又昏庸，吝啬而又荒淫，怕革新而又爱破坏（寇盗式与奴才式的破坏），多梦想而又无创作，自欺欺人而又甘被欺，自命中庸而又趋极端……所有这些，本来是反动统治阶级的奇特的矛盾性格，但是这些毒质经过经济榨取、政治压迫、文化蒙蔽、知识独占以及各种直接与间接的传染与渗透，也侵蚀一般被压迫大众的精神生活，败坏民族风气。自然，在另一方面，由于生产的落后，生活的折磨，和革命领导的薄弱，被损害被侮辱的大众在不能找到宣泄积忿与愁苦的出路以前，为了消极的自卫，也会发展各种病态的性格；然而造成民族劣根性的责任，无疑是应由统治者与剥削者来负的。不能否认，中国民族性不仅有它的黑暗面，也有它的光明面。但**在革命势力尚未成长到足**

够冲破反动势力以前，消极的民族性格常常显出其可畏的压迫力量，像溃烂的毒疮一样，阻碍人们前进的手脚。只有当革命的阶级性和固有的民族性的矛盾获得了合理的解决，民族的积极性格与进步质素才能和先进阶级的实践与意识一同飞跃地发展起来。

鲁迅在早年，并未看到这种矛盾的合理解决，但他看到了传统的民族劣根性像死尸似的沉重压迫中国人民的精神活力，阻碍中国革新的道路，他感到无限的悲愤和惊怖。然而他深信国民精神是可以改变的，深信民族的病态是可以疗救的，所以他执行了一种带有爱国意识和民主要求的批判任务，我们可以称之为**民族的自我批判**。

第三节　鲁迅所担负的民族自我批判的任务

从辛亥革命前夜直到“五四”时代，鲁迅的民族主义的思想活动，主要是表现在民族的自我批判上。在消极方面，是暴露民族的劣根性，揭发国民性的弱点，在积极方面，是唤起民族的自觉，要求改变国民精神。从表面看来，他在这一期间所攻击的，是一般的国民性，但实质上，他的炽盛火力主要还是对准反动的统治者与剥削者。自然，他丝毫没有放松对于“不长进的民族的病态”（《热风·随感录》三十八）的严厉批判。唯其因为他憎恨民族的劣根性非常深，所以他爱护中华民族的生命力也非常切。在他对于民族所加的鞭策中，闪耀着他的崇高深厚的民族爱。

鲁迅对于民族失败主义与奴隶主义的攻击，是非常锐利的。在辛亥前夜，已经显露了他在这一方面的战斗锋芒。满清王朝对外战争与外交的失败，并未促起统治阶级的觉悟，相反地，反动统治者显示得比以前更加昏愦，更加怯弱。专制魔王只要“使子孙王千万世，无有底止”（《坟·摩罗诗力说》），便不惜以民命为代价，对外卑躬屈膝，对内专横残暴。“宁蜷伏堕落而恶进取”（同上）的阿Q主义者在外仇摧压之下“妄自尊大”，“见善而不思式”（《文化偏至论》）；自己已经做了奴隶，还要自夸为“古文明国”之华胄，“颇思历举前有之耿光，特未能言，则姑曰左邻已奴，右邻已死，择亡国而较量之，冀自显其佳胜”（《摩罗诗力说》）。在朝在野的阔老们不愿正视严重的民族危机，只是一味自欺欺人，粉饰升平。于是帝国主义对中国的宰割和中国统治阶级的失败主义互为因果；被牺牲的，是中国的土地与人民。土著的统治者，对于庶民，是残暴的主子，而对于帝国主义，则是恭顺的奴才。自然，当时富国强兵的梦给了苦闷中的新官僚士大夫以若干慰安，但在帝国主义的天罗地网中，在满清王朝的民族牢狱中，哪里容得了致富强之术？那些“竞言武事”的“轮才小慧之徒”，根本就不懂，中国的手足给人完全捆缚住，即令武备扩张了，“而举国犹孱，授之巨兵，奚能胜任，仍有僵死而已矣”（《文化偏至论》）。那些主张立宪的绅董士大夫，根本就不了解，政权完全操在反动统治者手中，即令宣布立宪，召开国会，除了遮掩满清王朝的溃烂而外，还有什么意义？而况那些政客们不过是“假是空名，遂其私欲，不愿见诸事实，将事权言议，悉归奔走干进之徒，或至愚屯之富人，否亦善垄断之市侩”（同上）。至于那些提倡工商救国者，也忘记了整个民族经济命脉操在外人手中，要想从国际资本的榨取中分一点余沥来图富强，是多么愚蠢可怜的幻梦！而况他们的动机，只是出发于自私："盖国若一日存，固足以假力图富强之名，博志士之誉；即有不幸，宗社为墟，而广有金资，大能温饱，即使怙恃既失，或被虐杀如犹太遗黎，然善自退藏，或不至身受；纵大祸垂及矣，而幸免者非无人，其人又适为已，则能得温饱又如故也。"（同上）有了这种亡国奴式的打算，民族独立自由与否，自然全和他们痛痒无关。为要对抗这一类"活身是图，不恤污下"（《摩罗诗力说》）的民族失败主义与奴隶主义，鲁迅主张启迪人民的自觉，争取"人国"的实现：

> 外之既不后于世界之思潮，内之仍弗失固有之血脉，取今复古，别立新宗，人生意义，致之深邃，则国人之自觉至，个性张，沙聚之邦，由是转为人国。人国既建，乃始雄厉无前，屹然独见于天下。（《文化偏至论》）

诚然，如果不将政权从反动统治者转移到人民手中，根本摧毁封建残余与帝国主义的压迫，所谓"人国"，也不过是一个乌托邦。然而就算鲁迅所提出的是一个乌托邦，而在反对“愚民的专制”的思想史上，仍然有其锋芒惊人的战斗意义。因为他所理想的人国，是**奴隶的“沙聚之邦”的否定，是民族独立自由的争得，也是人民自觉的实现**。他评论拜伦的精神，说这位援助希腊独立战争的诗人，“**重独立而爱自繇，苟奴隶立其前，必衷悲而疾视，衷悲所以哀其不幸，疾视所以怒其不争**”(《摩罗诗力说》)。其实他所阐释的拜伦精神，正是他当时所强调的民族主义精神，没有独立与自由，所谓建立“人国”根本是一句空话。值得指出的是，早在一九〇三年（鲁迅二十二岁），他所写的那篇《斯巴达之魂》(《集外集》)，就是宣扬民族战斗精神与爱国主义的充满热情文艺作品。

在辛亥革命时代，鲁迅参加了排满的革命组织。但当他感到革命失败以后，他便沉潜起来了。他自譬住在一间“绝无窗户而万难破毁”的“铁屋子”里面（见《呐喊·序》)。可是，一到“五四”的春雷响动于古老的中国以后，鲁迅就以异常泼刺的雄姿要打毁这间“铁屋子”了。

“五四”时代，是中国民族自觉浪潮冲溃中古的反动精神生活的突变时代。这一运动是由资产阶级与小资产阶级的急进分子掀起的。民族资产阶级意识代表仅仅提出了反封建的启蒙任务，他们并未深刻考虑到中国民族走向殖民地前途的危机。他们很容易满足于局部的改革。就拿文学革命运动来说吧，虽则资产阶级的知识分子提出了反对古文和创立国语文学的要求，并且实行了语文的改革，然而他们可就没有写出一篇表现中国民族生活的作品。无产阶级的思想在“五四”运动初期还只在萌芽状态，但到了“五四”的后期，这种思潮就和资产阶级意识形态尖锐地对立起来了。鲁迅在当时自然还不是属于无产阶级革命行列的，他只是一个进步的小资产阶级思想革命家，但他的刻划中国民族生活的划时代的艺术，在“五四”时代应当被认为民族解放运动的奇异花果。这个收获是不能在表面上看出来的，必须发掘鲁迅在他的作品中所表现的“典型环境”和“典型性格”，才能见到。

鲁迅在“五四”时代的作品，充满了反封建的思想，这是很容易看出来的，然而其中是否包含了民族解放的要求呢？我的回答是，这些要求是隐藏于他的反封建思绪之下。

中国民族在外来征服者和国内压迫者合力糟蹋之下，一天一天走向死灭的道路，这是使敏感的爱国者感到非常沉痛和恐怖的事。鲁迅在“五四”时代的战斗锋芒，是集中于攻击国内的封建反动势力和腐败传统，因为他认为这些乃是阻碍中国民族进步的主要内在原因。他对于“不长进的民族的病态”表示无限的沉痛，因此用了他的锐利的笔对这些病态予以无情的揭发。他在**“五四”时代的反封建斗争，实际是他的民族自我批判工作更具体更广大的发展**。他的批判的基本武器，就是进化论。攻击的火力主要是对准反动的国粹与精神文明，因为所谓国粹，不过是那些“现在的屠杀者”阻遏民族革新的“国渣”，而所谓精神文明，也不过是“祖传老病”患者湮塞进步潮流的精神野蛮——用鲁迅的话来说，就是“蛮人的文化”(《热风》)。鲁迅提出了一个平常的却含有深意的问题：“倘说：中国的国粹，特别而且好，又何以现在糟到如此情形，新派摇头，旧派也叹气？”(《热风·随感录》三十五）这就给了“国粹”以铁一般的否定。他希望中国多产生“**超过祖先的新人**（《随感录》四十九),**“医治中国的昏乱病”**(《随感录》三十八)。他深切感到,民族的沉疴痼疾将使中国遭受淘汰,在亡国以后,即令保存了中国人的名目,中国人也将失去了世界:

> 许多人所怕的,是“中国人”这名目要消灭;我所怕的,是中国人要从世界挤出。
>
> 有人说:“我们要特别生长,不然,何以为中国人!
>
> **于是乎要从世界挤出。**
>
> **于是乎中国人失去了世界,却暂时仍要在这世界上住!**
>
> ——这便是我的大恐惧。”(《热风·随感录》三十六)

要住在世界上,而又要从世界挤出,这正是一个“古文明国”的悲哀矛盾。“现在的屠杀者”是甘心要把中国民族推向绝路,而鲁迅是要解除民族危机。

鲁迅严酷攻击了民族自大狂,因为自大狂

和自卑狂正是一脉相通的，“中国人对于异族，历来只有两样称呼：一样是禽兽，一样是圣上”（《随感录》四十八），正是民族自大狂和民族自卑狂互相转化的具体说明。他以为患了这种狂病的民族，如不设法疗救，是无所逃于天地之间的：

> “灭绝”这两句话，只能吓人，却不能吓倒自然，他是毫无情面：他**看见有自向灭绝这条路的民族，便让他们灭绝，毫不客气**。（《随感录》三十八）

固然，鲁迅还不能拿社会历史的原因来解说民族的生灭存亡，但在这里，他指出了一点，一个不愿自求生路的民族，是只有走向灭亡的道路的。

中国民族“久受异族及其奴仆鹰犬的蹂躏”（《华盖集续编·死地》）的血泪史，不仅造成了政治经济的腐溃和衰沉，并且造成了民众生活的愚昧和萎靡，祖传的野蛮统治制度更直接助长了这种惨状。“屠伯们逍遥复逍遥，用钢刀的，用软刀的”（《而已集·题辞》），把广大民众自肉体至精神压迫得成了不能伸直枝干的“病梅”。鲁迅是看穿了这种病态的民族生活的。但他并不抽象地去研究中国民族被压迫的问题，他只是通过人性——社会关系——**的具体发掘去反映民族性——民族被压迫的现实**，通过**典型环境与典型性格的生动描绘去表现危殆万分的民族命运**，如以“五四”时代的作品为例，《阿Q正传》就是一篇民族被压迫生活史的缩图。鲁迅写出了阿Q的猥劣与麻木，但同时也写出了阿Q被践踏、被欺凌的惨状。阿Q的半白痴的性格，是不能依照《理水》中“拿拄杖的学者”所主张的“阔人的子孙都是阔人，愚人的子孙都是愚人”那样的遗传学来解说的，这种性格明明反映了赤裸裸的社会关系，并且也是这种社会关系必然造成的。阿Q的精神胜利法不用说不是一个半白痴的流浪雇农所能发明的。实际的情形却是，为了在不断被践踏、被侮辱的生活环境中维持自己可怜的生存，他不得不从他的主子们那里接受自欺欺人安于奴隶命运的精神传统，来麻痹受伤的灵魂。自然，他并非接受这传统的“第一个”，和他同一命运的被损害者早就如此做了。如其阿Q没有自轻自贱的卑微感和自譬自解的优胜感交错运用，他能在土谷祠里“心满意足的躺下”,“得意了许多年”(《阿Q正传》)吗？阿Q和他同命运的人群所应用的精神胜利法，明明是有所本的。难道哼着“中国地大物博，开化最早，道德天下第一”(《热风》)得意文章的国粹主义者，不是高等阿Q主义者吗？难道高唱“外国物质文明虽高，中国精神文明更好”(《热风》)滥调的民族夸大狂，不同时又是自称虫豸的民族自卑狂吗？在先前，是北方的异族用快马和屠刀闯入了中原，在后来，是帝国主义用枪炮和商品轰毁了中国守旧的万里长城，“战具比我们精利的欧美人，战具未必比我们精利的匈奴、蒙古、满清人，都如入无人之境”(《华盖集·忽然想到》)。在这些灾害中，土著寄生阶级，连同自己生息其中的民族，分明遭到了被掠夺、被践踏的命运，然而他们不敢正视鲜血淋漓的现实，却是“用瞒和骗造出奇妙的逃路”(《论睁了眼看》)。明明是惨败了，给人做了俘虏了，但却不愿承认失败，也不愿从惨败的历史中去学习教训，争取胜利的前途。这性格通过政治的和社会的精神的压迫权力，也就传染到了广大被压迫的群众。(自然，我并非说，阿Q主义的产生只能单纯归因于异族和帝国主义的闯入，阿Q主义的形成和发展有着比这更复杂的原因；但不可否认的，由于中国民族长期被征服被压迫的史实，阿Q主义取得了易于孳生繁殖的条件。）除非把阿Q主义放大，和民族被践踏的血史一同考察，人们是不会认识阿Q主义的根源的。鲁迅不但**有意识地通过阿Q的劣根性，暴露了民族的劣根性，同时也不自觉地通过阿Q被摧残被奚落的生活史，烘托了中国民族被损害被侮辱的血泪史**。因此他在《阿Q正传》写出："阿Q……是永远得意的，这或者也是中国精神文明冠于全球的一个证据了。"在另一处他又指出："十二年前，鲁迅作的一篇《阿Q正传》，大约是想暴露国民的弱点的。"（《伪自由书》）在他后来的许多作品中，常是对照着土著压迫者的麻木，写出了异族（包括古代的异种族和现代的帝国主义）征服中国民族和奴役中国人民的惨史。如果鲁迅否定了阿Q的劣根性，否定了辛亥革命的弱点，当然也就连带否定了那应由土著寄生者负责的"国民的弱点"，否定了一切革命的不彻底性。不洗去这样的弱点和不彻底性，加强中国民族抵御外来横逆的精神武装，中国是绝不会由牛马奴隶之国变为真正的“人国”(《摩罗诗力说》)，而中国人民也就决不能“创造中国历史上未曾有过的第三样时代”(《坟·灯下漫笔》)。因此在他嘲笑**精神胜利**的反面，他教我们怎样在民族新生运动中锻炼锋锐的**胜利精神**，这种**胜利精神**，唯有在清算失败主义的斗争中才能生根的，因为**失败主义**正是阿Q主义的本质。

第四节 鲁迅的反帝思想的发端

如果鲁迅在辛亥革命前夜和“五四”时代，是从侧面来表现和警告中国民族被征服被压迫的现实，是着重于国民弱点和民族病态的暴露，那么，到了“五四”以后，也就是大革命前夜和大革命期间，他就开始从正面来攻击帝国主义及其在华走狗，着重于民族生存战斗精神的发扬。自然，他同时也不放弃民族遭受压迫的侧面揭发。这一发展恰正是反映帝国主义对中国掠夺重新的加紧，也反映中国民族革命运动的重新高涨。中国民族资本主义在欧战时期一度繁荣的风光，只消国际资本卷土重来的洪水一冲，就给湮没下去了。帝国主义权益和中国民族生存的尖锐冲突，激起了中国民众的革命新潮，这新潮是为国际帝国主义所不能容许的，他们用了一切横暴卑劣的举动和阴谋来对抗中国人民的解放运动。封建地主和中国买办资产阶级及其政治代表——军阀官僚，很驯服地执行了国际主子屠杀人民镇压革命的意旨。民族资产阶级消失了“五四”时代一点仅存的锐气，重新走上了失败主义的旧路，他们曾经对军阀和帝国主义抱了过高的幻想，希望经过妥协来苟延残喘，在政治上取得一角立足之地。然而无情的事实很快就教训了他们，证明了他们的幻想已经破灭了。经过广大群众反帝反封建的斗争浪潮的推动，一个新的民族革命战线（包括工农资产阶级和小资产阶级）建立起来了。中国民族第一次以洪大的声音向全世界怒吼了。这一切情景，鲁迅是用着战栗的和兴奋的心情来看的，他经过彷徨和孤独的苦闷，毕竟重振了昂奋和热烈的战斗精神。

亡国士大夫历来是用“排斥异端的正气”（《阿Q正传》）来拥抱“国粹”的，就是号称维新的新官绅也不过是想“用学来的新，打出外来的新，关上大门，再来守旧”(《热风》)。他们不仅是封建残余势力的保镖，其实同时又是殖民地的败卒。正因为他们失去了民族自卫的信心和勇气，所以他们惧怕外来的新事物，而只有藏在“国粹”的乌龟壳内，正像契科夫描写的贝里柯夫缩头在囊中一样。“五四”雷雨曾经动摇了守旧的精神体系，然而随着民族资产阶级的退婴（约从一九二〇年到“五卅”以前），“反改革的空气又浓厚透顶了，满车的‘祖传’，‘老例’，‘国粹’等等都想来堆在道路上，将所有的人家完全活埋下去”(《华盖集·通讯》)。这种反动空气的泛滥，不仅反映着中国封建守旧势力向革新势力的反攻，而**且特别反映中国民族殖民地化危机的加深，反映革命民众**（首先是工人阶级）**和守旧势力斗争**的进展。一方面是革命化的民众把“五四”时代的文化革命成果加以发展，另一方面是封建营垒和妥协的市民层在文化思想上大开倒车。鲁迅对后一种反动倾向作了比“五四”时代更尖锐的打击。成为这一时期的特色的是，他是意识地明确地把反守旧势力的斗争和民族危机的解剖联结起来。他指出了，那些复古的守旧的反动分子，虽然死死抱住“国粹”不放，自命为民族“固有文化”的守护者，然而实际上，他们是丧失了民族自信力的，是一面站在前门畏惧外来征服者，而又一面打从后门引进帝国主义的。他确信着，一个民族愈是顽固地排斥异端，就愈证明其衰弱；反之，越是魄力雄大的民族，越有勇气取用外来事物。他曾引史实来讽喻国人：

> 宋的文艺，现在似的国粹气味就薰人。然而辽、金、元陆续进来了，这消息很耐寻味。汉、唐虽然也有边患，但魄力究竟雄大，人民具有不至于为异族奴隶的自信心，或者竟毫未想到，凡取用外来事物的时候，就如将彼俘来的一样；自由驱使，绝不介怀。一到衰弊陵夷之际，神经可就衰弱过敏了，每遇外国东西，便觉得彼来俘我一样，推拒，惶恐，退缩，逃避，抖成一团，又必想一篇道理来掩饰，而国粹竟成为孱王和孱奴的宝贝。(《坟·看镜有感》)

反革新势力把一切革新势力当做“赤化”危险来“讨伐”，“国粹”遂成为军阀及其走狗的“宝贝”，帝国主义更从旁张大国粹派的反动气焰。就在此时，鲁迅通过了继续反封建反国粹的战斗来唤起民族的觉醒，来攻击帝国主义鹰犬削弱民族解放力量的活动与阴谋。国故论者“口口声声叫着保古，保古，保古”(《华盖集》)，然而他们根本忘记了帝国主义者正利用中国统治者“不肯变革……自相残杀”（同上）的机会，“很容易地进来了”。摆在全国人民面前的严重问题是：还是保存“国粹”来牺牲中国呢，还是牺牲国粹来保存中国？鲁迅指出了在民族危机日益严重的现在，“古也就难保，因为土地已危险而不安全。土地给了别人，则‘国宝’虽多，我觉得实在无处陈列”(《华盖集·忽然想到》)。他最痛恨的是，守旧的反动统治者对国内民众则作威作福，而对帝国主义则奴颜婢膝，所谓“**见了羊显凶兽相，见了凶兽则显羊相**”(《华盖集》)，正是这些奴才们最逼真的写照：

复古家尽可不必悲观的。太平的景象还在：常有兵燹，常有水旱，可有谁听到大叫唤么？打的打，革的革，可有处士来横议么？对**国民**

如何专横，向**外人如何柔媚**，不犹是差等的遗风么？（《华盖集·灯下漫笔》）

中国反动统治者就是这样打着“肃静”、“回避”的朱牌，来为外来的征服者清道。不但如此，他们还继承了历来事大主义的奴隶传统，很恭顺地为外来征服者安排人肉筵宴，“中国人的耐劳，中国人的多子，就是办酒的好材料”（《灯下漫笔》）。

西洋人初入中国时，被称为蛮夷，自不免个个蹙额，但是，现在则时机已至，到了我们将曾经献于北魏，献于金，献于元，献于清的盛宴，来献给他们的时候了。出则专车，行则保护；虽遇清道，然而通行自由的；虽或被劫，然而必得赔偿的；孙美瑶掳去他们站在军前，还使官兵不敢开火。何况在华屋中享用盛宴呢？（同上）

以前被“天朝”目为蛮夷强迫下跪的西洋帝国主义

者（后来还有东洋帝国主义者），驾着他们的炮车来到中国，做了“享用盛宴”的上宾，他们压根儿就不把中国人当人算账。虽然有时也“颂赞中国固有文明”（同上），但那不过是“醉饱后的呕吐”（霍善斯泰因）。实际上，他们有权利在中国随意宰杀人民，“以膏馋吻”；“五卅”惨案就是一个例子。当帝国主义的屠刀在上海闪着凶光造成了极大的流血惨案的时候，一些高等华人在那里极力“辩诬”，洗刷“赤化”的“罪名”，鲁迅再也按捺不住他的义愤：

> 我们的市民被上海租界的英国巡捕击杀了，我们并不还击，却先来赶紧洗刷牺牲者的罪名。说道我们并非“赤化”，因为没有别国的煽动；说道我们并非“暴徒”，因为都是空手，没有兵器的。我不解为什么中国人如果真使中国赤化，真在中国暴动，就得听英捕来处死刑？记得新希腊人也曾用兵器对付过国内的土耳其人，却并不被称为暴徒；俄国确已赤化多年了，也没有得到别国开枪的惩罚。而独有

中国人，则市民被杀之后，还要皇皇然辩诬，张着含冤的眼睛，向世界搜求公道。(《华盖集·忽然想到》)

帝国主义的“文明”本来就是建筑在压迫殖民地（包括半殖民地）的暴力上，因为“帝国主义非剥削殖民地，非用暴力将殖民地强制在‘统一的整体’的范围内，是不能够生存的，……不然，它就不成其为帝国主义了”（史太林:《论列宁主义的基础》)。虽然中国尚未变成被帝国主义独占的或瓜分的殖民地，但帝国主义剥削中国民族，以暴力强制中国成为他们的经济政治上的附庸，这一事实已经存在很久了。鲁迅揭穿了帝国主义的“文明”的本质，指出“文明向来是如此的，并非到现在才将假面具揭下来。只因为这样的损害，以前是别民族所受，我们不知道，或者是我们**原已屡次受过，现在都已忘却了**”(《忽然想到》之十)。难道中国人民忘了鸦片战争时代不列颠帝国的炮轰吗？忘了太平天国时代戈登、华尔的洋枪队吗？忘了甲午战争的流血吗？忘了中、法战争时法国人在谅山的屠戮吗？忘了八国联军在华北的烧杀淫掠吗？中国人民如不健忘，就应该清醒地认识，帝国主义在上海、沙基、汉口等地制造的流血惨剧，本来不过是过去屠杀政策的继续。在这样的惨酷局面之下，高等华人们还要“皇皇然辩诬”，“张着含冤的眼睛”和帝国主义讲“公道”，那除了伤害中国民族的自尊心，增大帝国主义的横逆气焰而外，还有别的结果吗？鲁迅教给了我们对抗暴力的战斗道路：

> 因此，中国青年负担的烦重就数倍于别国的青年了。
>
> 因为我们的古人将心力大抵用到玄虚缥缈、平稳圆滑上去，便将艰难切实的事情留下，都待后人来补做，要一人兼做两三人，四五人，十百人的工作，现在可正到了试验的时候了。对手又是坚强的英人，正是他山的好石，大可以借此来磨练。假定现今觉悟的青年的平均年龄为二十，又假定照中国人易于衰老的计算，至少也还可以共同抗拒，改革，奋斗三十年。不够就再一代，二代……这样的数目，

从个体看来，仿佛是可怕的，但倘若这一点就怕，便无药可救，只好甘心灭亡。因为在民族的历史上，这不过是一个极短时期，此外实没有更快的捷径。我们更无须迟疑，只是试验自己，自求生存，对谁也不怀恶意的干下去。(《华盖集·忽然想到》)

鲁迅认识了中国民族解放运动的长期性，他劝告中国青年“共同抗拒，改革，奋斗三十年，不够，就再一代，二代……”中国青年的确没有辜负这位民族先驱者的期望。从那以后，三十年的奋斗道路我们至少已经走了一半了。我们坚决相信，只要全国人民绝不动摇地“抗拒，改革，奋斗”下去，是一定可以缩短争得民族彻底解放的途程，在不到三十年的苦斗中，完成我们的革命大业的。

然而，在“抗拒，改革，奋斗”的过程中，各种重大困难向民族革命战线袭来，是绝非意外的。帝国主义不仅要常常亲自出马来压迫中国的民族解放运动，而且更毒辣的是，嗾使黄面皮的鹰犬来摧残反帝民众，以达到“以华制华”的目的。一九二六年北京爱国青年用请愿来抗议日本和列强干涉中国革命，立即遭到帝国主义的华种猎犬的毒手，暗无天日的“三·一八”惨案就是如此制造出来的。鲁迅的笔喷出了攻击帝国主义及其走狗的愤火：

> **中国只任虎狼侵食，谁也不管**。管的只有几个年青的学生，他们本应该安心读书的，而时局飘摇得他们安心不下，假如当局者稍有良心，应如何反躬自责，激发一点天良？
>
> 然而竟将他们屠杀了！
>
> 假如这样的青年一杀就完，要知道屠杀者也决不是胜利者。
>
> 中国要和爱国者的灭亡一同灭亡。屠杀者虽能因为积有金资，可以比较长久地养育子孙，然而必至的结果是一定要到的。“子孙绳绳”又何足喜呢？灭亡自然较迟，但他们要住最不适于居住的不毛之地，要做最深的矿洞的矿工，要操最下贱的生业。……（《华盖集续

编 · 无花的蔷薇之二》)

“中国要和爱国者的灭亡一同灭亡”，这是铁一般的真理。事实上，除了热血的爱国者而外，那些“心悦诚服地充当奴才没齿而无怨言”(《华盖集续编 · 死地》)的贱胚子是唯恐中国不亡，那些“见了羊显凶兽相，而见了凶兽显羊相”的“奴隶总管”是只有加速中国的灭亡，而那些“遇见强者不敢反抗，便以‘中庸’这些话来粉饰”(《华盖集》)的孱头们唯有坐待中国的灭亡。鲁迅是爱护爱国者（民族解放斗争者）的，因为他们是中国民族仅有的生气和活力。然而，在另外一方面，从帝国主义直接和间接豢养的殖民地奴才那里，却常常喷来了诬蔑爱国者的狗血。所谓学者名流和正人君子，就经常在为帝国主义及其奴仆洗刷“侵食中国”和“残虐百姓”的罪名。鲁迅带着正义的愤怒跟他们搏击，因为他们乃是“比主人更恶厉的狗”，并且常常又是“折中，公允，调和，平正之状可掬，悠**悠然摆出别个无不偏激，唯独自己得了‘中庸之道’似的脸来的哈巴狗**”(《坟·论费厄泼赖应该缓行》)。看一看章士钊、陈西滢们的嘴脸吧，他们说，“三·一八”惨案“群众领袖应负道义上的责任”，说青年男女“冒枪林弹雨的险，受践踏死伤的苦”，是只怪他们自己幼稚，鲁迅写道：“这些东西仿佛就承认了对徒手群众应该开枪，执政府前原是‘死地’，死者就如自投罗网一般。”（《华盖集续编·空谈》）再看一看“诗哲”徐志摩的敦睦邦交的怪论罢，他说：“如其有人拿一些时行的口号，什么打倒帝国主义等，或是分裂与猜忌的现象，去报告罗兰（罗曼·罗兰）先生说这是新中国，我再也不能预料他的感想了。”鲁迅写道：“莫非从‘诗哲’的眼光看来，**罗兰先生的意思是以为新中国应该欢迎帝国主义的么**？‘诗哲’又到西湖看梅花去了，一时也无从质证。不知孤山的寒梅，着花也未？可也在那里反对中国人‘打倒帝国主义？’”（《华盖集续编·无花的蔷薇》）。鲁迅用投枪猛掷帝国主义的鹰犬奴仆，正是要坚定反帝国主义的爱国民众的确信，正是要“设法增长国民的实力，永远这样的干下去”（《华盖集·忽然想到》）。

在号召反帝国主义战斗的时候，从来不是作为一个单纯的爱国主义者，一攻击了“侵食中国的虎狼”，就放松了帮忙虎狼的伥鬼，相反的，他丝毫不为对外的斗争惑乱了反对国内黑暗势力的目标。他常常把内贼和外敌放在一道来拷问，来打击，甚至攻击帝国主义的鹰犬奴仆比攻击他们的主子更严酷无情。这就是为什么他在帝国主义加紧屠掠政策时，毫不放松和奴才胚子的官僚政客与“正人君子”斗争，为什么他一面沉痛地鼓励爱国者将“沦为异族的奴隶之苦告诉大家”，另一面清醒地警告大众不要安于“做自己人的奴隶”（《半夏小集》）；这是贯串在他的全部民族主义思想中的一个最大特色。这里再举一个实例来说明：

> 上海的英国捕头残杀市民之后，我们就大惊愤，大嚷道：伪文明人的真面目暴露了！那么，足见以前还以为他们有些真文明。然而中国有枪阶级的焚掠平民，屠杀平民，却向来不很有人抗议。莫非因为动手的是“国货”，所以连残杀也得欢迎；还是我们原是真野蛮，所以自己杀几个自家人就不足为奇呢？（《华盖集·忽然想到》）

只要是对民众的残虐和迫害，不管它是“舶来品”，还是“国货”，鲁迅毫不迟疑地起来攻击它。鲁迅自始就不是一个沙文主义者（Chauvinist），而是一个民主的爱国主义者。

第五节　由进化论跨向阶级论

如果说，鲁迅在“五四”时代主要是通过民族的自我批判来唤起民族自觉，在大革命时代主要是作为一个民主主义的爱国者攻击帝国主义及其奴狗，那么，到了大革命失败以后，他**就是作为一个阶级论者把民族主义自觉地和国际主义联结起来**。研究这个蜕变，不仅对于鲁迅思想的了解有极大价值，而且对于中国现代思想史有深巨意义。

大革命暴风雨曾是使国际帝国主义及其奴才震骇绝叫的一个噩梦，鲁迅当时曾以抑止不住的兴奋心情歌颂这暴风雨。然而，帝国主义暗中的“带甲拳头”很快就得到了土著的殖民地奴才的帮助，击破了中国的革命战线。资产阶级再度退回了民族失败主义的旧路。这样开始了新的民族大分裂，同时也开始了革命战线内部的大分化。残酷的阶级内战和严重的民族危机一同发展，这特点也深刻地反映在文化思想战场上。在革命战线方面，民族主义和国际主义，民主主义和社会主义非常明朗地结合起来了，旧式的民族主义和民主主义遭到了实际的和理论的清算。历史以空前的明确性指示了只有无产阶级是中国革命的主动力，因为大革命失败后，它在与农民和小资产阶级联盟的基础上，坚强地英勇地单独领导革命。这是中国革命运动相对地沉潜的时候，然而也是革命运动较前更为深入的时候。鲁迅的明确采取阶级论立场，加入新的集体主义战线，从整个革命运动发展趋势来说，正有其历史的必然。

不过，我们不能以这种一般的说明为满足，问题是要更进一步找出鲁迅思想发展的内在原因。

如众周知，鲁迅原来是采取进化论观点的。他曾用生物的进化论来解释社会的发展，说："生物界的现象，一要保存这生命，二要延续这生命，三要发展这生命。"（《坟·我们现在怎样做父亲》）就从这个命题出发，他得出了"一要生存，二要温饱，三要发展"（《华

盖集 · 忽然想到之六》）的主张。因为他深信“后起的生命总比以前的更有意义，更近完全”（《我们现在怎样做父亲》），所以推论出来，就以为子代必比父代进步，幼者必比长者重要，而青年人也必比老年人优胜。把这一系列论点扩大开去，他就认定将来必比现在光明，而革新势力应当代替陈旧势力。他深知旧传统对于人类进化的阻力巨大可怕，但他坚信“生命的路是进步的……什么都阻他不得”（《热风·生命的路》）。“Le Bon 先生说，死人之力比生人之力大，诚然也有理由的，然**而人类究竟进化着**。”（《华盖集 · 这个与那个》）这种进化论的观点贯串在他的早期作品中，是非常鲜明触目的。

本来，从进化论出发，人们可以走上两条完全相反的道路。社会达尔文主义者利用进化论作为现存的资本主义社会秩序的护符，他们把生存竞争、自然淘汰和适者生存等进化论的范畴，来论证资本主义的竞争与掠夺是合理的，强者牺牲弱者是必要的，而少数财富占有者和帝国主义永远支配世界是适合自然法则的。这种反动的理论，历来就被某些资产阶级的社会学者所传播，所援引。但是，另一方面，也有人强调达尔文主义的进化概念——发展概念，来论证人类社会和人生是不断在弃旧更新的，将来必胜于现在，正如现在必胜于过去。这样的观点自然还是不完全正确的，它还脱不了用达尔文主义的自然法则来概括人类社会的发展法则这个轨辙，但它显然和前面一种观点有根本差别。因为不可否认，虽然人类社会和生物界各有自己的发展法则，而人类社会和自然界的运动与发展，却是统一于唯物辩证法之下的。因此，这样的发展观虽然仍旧不可与辩证法的发展观混为一谈，但和后者有相当亲近的血缘。鲁迅先前正是持这种观点来运用进化论的。在他早期的作品中，包含了许多关于历史发展的观念。他否认国民性与人性是不变的，坚信人类与人道是不断在生长的，生命是向前进步而“不回头”的，事物“没有万古不磨的典则”，黑暗决不能永久存在，“凡活的而且在生长者，总有着希望的前途”……（这里不能多引原文，请参看拙作《鲁迅的思想遗产》）。这些信念帮助他摆脱了失望悲观的暗影，而走向了积极战斗的道路。他不是一个庸俗的客观主义者或静观的进化论者。和他的进化论发展观一同，有着最鲜明的变革精神浸透在他的早期作品中。这就是，积极方面歌颂**革新**，强调**改变**，主张**超越**（后代超越前代，将来超越现在），号召**反抗**，消极方面反对**因袭**，攻击**腐旧**，憎恶**传统**（陈腐的传统），诅咒**复古**（以上加**粗**的字眼都引自《热风》、《坟》、《华盖集》、《华盖集续编》等书，原文不必多引了）。显然，他的进化论世界观和他的战斗现实主义相结合，包含了个别的辩证法种子，这种结合就作了他日后跃向无产阶级世界观的跳板。

而且由于鲁迅把进化论和战斗现实主义联结起来，又使他早期的思想包含了唯物论的成分。诚然，他在青年时代的思想颇带有唯心论的色彩，所谓“掊物质而张灵明”（《文化偏至论》），“崇奉主观，张皇意力”（同上）之类的观念，就是受了斯蒂纳（M. Stirner）、叔本华、尼采诸人的影响而揭橥的。他用这种唯心论的武器来提倡个性解放，攻击立宪主义者，客观上自有其反专制的战斗意义。然而当革命运动发展到需要彻底清算封建势力的时候，这种武器就不适用了。因此，鲁迅在“五四”时代大体上是采取了唯物论的观点，不过这时的唯物论还是基于直感性的认识来运用的。它主要表现在反对精神文明，反对精神胜利法（广义的），提倡科学思想，攻击所谓“特别国情”等论著上。和反对精神文明相联的是，他提出了“生存、温饱、发展”的有名命题，把这一命题加以阐释，显然就是主张增强、改变和发展中国人民的物质生活与物质文明，克服中国的守旧势力与落后状态。他说，“保存我们，的确是第一义”，因此他的民族主义和精神文明、国粹主义、特别国情说是绝对不相容的。他对于个人与环境之关系的了解，大体上也是站在唯物论立场的。例如论到“时代落伍者”时，他发表过很深刻的见解：

> 时代的环境全部迁流，并且进步，而个人始终如故，毫无长进，这才谓之“落伍者”。倘若对于时代环境，怀着不满，要它更好；待较好时，又要它更加好，即不当有“落伍者”之称。因为世界上改革者的动机，大抵就是这对于时代环境的不满的缘故。（《两地书》第一集）

每个人只要对于时代环境有清醒的认识，随着时代的进步而前进，就会“有不平而不悲观”（同上书），自然就成为时代的战士；而且只有如此，环境才能因人力而改善。在这里，人的实践对于历史的发展取得了主动的地位。

正因为对于时代环境与人的实践作了清楚的估计，所以鲁迅到处强调了改变环境的必要和可能：

> **什么是路？就是从没路的地方践踏出来的，从只有荆棘的地方开辟出来的。**
>
> **以前早有路了，以后也该永远有路。**（《热风·生命的路》）

鲁迅重视主观的能动作用，是从对于客观世界的清醒认识出发的，如果客观世界没有泥土，自然践踏不出开辟不出“路”来。但仅仅有客观物质条件存在，有人的能动作用，还是不够的，这其间还必须要有贯彻实践的物质力量。因此，鲁迅主张在抗拒改革，奋斗时，要“设法增长国民的实力”，认为“改革最快的，还是火与剑”(《两地书》)。他反对阿Q式的“白盔白甲”式的幻想，主张“深沉的韧性战斗”(《坟·娜拉走后怎样》)，正是说明他的现实主义是与唯物论的战斗观结合为一的。在鲁迅的早年创作中，对于典型性格与典型环境的关系的处理，常常暗示出一个真理，即人的本性是受一定的生活环境的规定的。如果他把阿Q的性格和封建社会的剥削、压迫、势利与愚昧切离开来，把阿Q描写成为一个简单可笑的傻瓜,《阿Q正传》是决不能成为一篇划时代的杰作的。一个有正义感的读者对于阿Q不知不觉流露真纯的同情，那决不是因为有所爱于他的性格，而是由于憎恨那摧残阿Q的黑暗世态，很自然会替阿Q分受人间的痛苦。从《祝福》那篇小说中，人们会读得出，宗法社会的礼教是怎样残酷地吞噬一个可怜的妇女，残害她的脆弱灵魂。从《孤独者》那篇小说中，读者会看得出，一个孤独的知识分子，如何在世态炎凉的猥劣社会环境中，改变本来面目，“躬行先前所憎恶，所反对的一切，拒斥先前所崇仰，所主张的一切”，开始在“失败”中来捞取“胜利”，终于在“胜利”中忘记了“失败”。鲁迅写人物时，他的笔总是像山鹰的巨爪，紧紧抓住在一定生活环境中铸成的某种性格之特点，因此写孔乙己，决不同于阿Q（虽然孔乙己也带有阿Q性），写魏连殳，决不同于涓生，写爱姑，决不同于祥林嫂，写高老夫子，决不同于四铭。环境与性格的多样性与可变性，在他的小说中，是用着最生动最锋锐的笔触雕刻出来的，即使在他的粗线条的速写中也是如此。从他的对于环境与性格的关系的处理中，人们会看得出他是运用高度的写实主义手法的，而这种手法的背后，分明隐藏了他的直感性的唯物论世界观。

进化论与直感性的唯物论，在鲁迅运用起来，有着一定限度的进步意义；在反封建传统的斗争中，是可以发挥武器的作用的。然而，当革命战斗发展到了更高的阶段，当尖锐的阶级矛盾与民族危机迫使革命者不得不全面来重新估定一切、检讨一切的时候，进化论与直感性的唯物论显然就会暴露它们的弱点。鲁迅就从自己的实感与实践中经验到原先的武器碰到了不能解决的矛盾。他的由进化论跨向阶级论，由直感性的唯物论跨向历史的唯物论，由个性主义跨向集体主义，由人道主义跨向社会主义，与其说最初是受了学说的诱导，不如说

是出发于深邃的生活实感与现实观察。（这一点巴人已先我指出，不过原文找不到。加有旁点的句子，意思上和巴人的说法相差不远。）他在广东“目睹了同是青年，而分成了两大阵营”之后，他的“思路因此轰毁”了。他说：“我一向是相信进化论的，才以为将来必胜于过去，青年必胜于老人。（谨案：许多人根据这两句话来概括鲁迅的进化论思想，显然是用例证代替了他早期的全部世界观。实际，鲁迅的进化论思想在内容上比这两句话广大的多），……然而后来我明白我倒是错了。”（《三闲集》序言）他目睹了无产阶级在大革命中与革命失败后浴血抗战的精神，看到了苏联工人阶级的革命胜利与建设成功，内心非常感动，因此极诚恳地解剖自己说：“我时时说些自己的事情，怎样地在‘碰壁’，怎样地在做蜗牛，好像全世界的苦恼，萃于一身，在替大众受罪似的：也正是中产的知识阶级分子的坏脾气。只是原先是憎恶这熟识的本阶级，毫不可惜它的溃灭，后来又由于**事实的教训**，以为**唯新兴的无产者才有将来**，却是的确的。”（《二心集》序言）一个在真理面前“俯首甘为孺子牛”（《集外集》）的现实主义战士，是最善于根据“事实的教训”向前驰驱的。鲁迅之所以能够把握世界最高的革命真理，主要是由于他清醒地认识现实，用“事实的教训”来武装自己。自然，这并非说理论的学习对于他的思想发展不重要，他自己就说过：“我有一件事要感谢创造社的，是他们挤我看了几种科学的文艺论，明白了先前的文学史家们说了一大堆还是纠缠不清的疑问，并且因此读了一本蒲力汗诺夫的《艺术论》，以纠正我——还因我而及于别人——的只信进化论的偏颇。”（《三闲集》序言）

鲁迅在思想上发展成为一个阶级论者，虽然可说是一个飞跃，但这飞跃是经过他自己的思想准备和自我斗争实现的。因为他所走的，一向就是现实主义的路，所以无论是对于事情的观察，人物的解剖，问题的提出，他都是由看穿和发掘客观的真实出发的，这就使他的思想不自觉地包含许多唯物辩证法的**个别因素**，使他能够深刻地把握住客观世界的现实生活关系，使他倾向于“变革世界”这个最高律令。但是，由于他的前期思想受到进化论的限制，他主要是根据直感经验和正义感去体察世界，批判现实，因此，他虽是“觉到了旧社会的腐败”，“希望着新社会的起来”，“但不知道这‘新’的该是什么，而且也不知道‘新’的起来以后是否一定就好”（《且介亭杂文·答国际文学社问》），这就使他当时不免“常常以‘不胜辽远’似的眼光对无产阶级”（《画室·革命与知识阶级》）。十月革命的巨大胜利使他开始认识了无产阶级的力量，然而“资本主义各国的反宣传”，使他“对于十月革命还有些冷淡，并且怀疑”（同上）。直到后来“苏联的存在和成功”给予他以深切的印象，他在那“伟大肥沃的黑土”里，亲见了“忍受、呻吟、挣扎、反抗、战斗、变革、战斗、建设、战斗、成功”（《南腔北调集·祝中俄文字之交》），这才使他“**确切的相信无产阶级社会一定要出现，不但完全扫除了怀疑，而且增加许多勇气了**”（《答国际文学社问》）。显然，他的现实主义精神帮助他走向了无产阶级的世界观，终于打破了过去拘束他的进化论的限制，冲决了直感唯物论的不彻底性，而这种蜕变是经过他的诚实的严刻的自我斗争完成的。他在翻译科学的文艺论时，就自白：“打着我所不佩服的批评家的伤处了的时候，我就一笑；打着我的伤处了的时候，我就忍痛，却决不肯有所增减。”

(《二心集》)可以充分表现他是如何不留情地跟自己过去的“偏颇”搏击。

在没有意识地接受唯物史观与阶级论之前，鲁迅通过直感的体验，是看到了阶级的对立，有时不自觉地接触到了社会存在决定主观意识这个最高命题的。在他早期的杂文中，他是在不断地和所谓“阔人”、“治者”、“压迫者”、“屠杀者”、“正人君子”、“偷挖中华民国的柱石的奴才”们斗争的。他曾很巧妙地暴露了剥削者与被剥削者的阶级关系，指出了剥削者与支配者无法稳定其统治的悲哀：

> 殊不知我国的圣君、贤臣、圣贤之徒，却早已有过这一种黄金世界的理想了。不是“唯辟作福，唯辟作威，唯辟玉食”么？不是“君子劳心，小人劳力”么？不是“治于人者食人，治人者食于人”么？可惜理论虽已卓然，而终于没有发明十全的好方法。**要服从作威，就须不活；要贡献玉食，就须不死；要被治，就须不活；要供养治人者又须不死。**(《坟·春末闲谈》)

在这里，不但揭发了阶级相互间的矛盾，而且暴露了剥削阶级所要维持的社会秩序的内在矛盾，剖出了支配阶级内心的矛盾。马克思在《资本论》里不仅写出了资本与劳动的对立，还指出了资本家为什么一面要残酷榨取工人的剩余价值，一面又要维持工人及其家属最低限度的物质生活。同样，他和恩格斯也分析了奴隶主与奴隶封建主与农奴的对立，暴露了历来的剥削阶级依靠被剥削阶级所遭遇的不可解决的矛盾。在尚未接受科学的社会主义以前，鲁迅固然不能从本质上解释社会的阶级矛盾关系，但是他实感到了并且描写出了这种矛盾关系。更其值得注意的是，他常是把阶级对立形象表现在他的文艺作品中。在《阿Q正传》中，一面存在着阿Q、王胡、小D、吴妈这一群被践踏的人物，一面活跃着赵太爷、秀才、赵司晨、假洋鬼子这些践踏别人的阔人（这当然是大体上的划分，从阶级成分来说，阿Q是属于雇农）；最后在辛亥革命的场面中，豪绅地主竟然成了“革命政权”的掌握者，而幻想“白盔白甲的革命党造反”的阿Q终不免落入流血的“大团圆”中，这就刻划了辛亥革命的流产。在《故乡》中，不仅写出了“闰土的辛苦麻木的生活”，刻划了他被生活压迫得失去了活气，而且描绘了在闰土和作者间之无形中隔着一道深渊，这深渊把他们幼小时的天真友情湮没掉了：

“老太太，信是早收到了。我实在喜欢的了不得，知道老爷回来……”闰土说。

“你怎的这样客气起来。你们先前不是哥弟称呼么？还是照旧：迅哥儿。”母亲高兴的说。

> 啊呀，老太太真是……这成什么规矩。那时是孩子，不懂事……闰土说着，又叫水生上来打拱，那孩子却害羞，紧紧的只贴在他背后。（《呐喊·故乡》）

自然，鲁迅早年的阶级体认，主要是依据生活的直感和历史的经验得到的，所以并非浮光掠影的，但因为缺少有系统的阶级理论的帮助，他究竟不能以科学的历史观去分析各个社会形态的阶级关系，使他大体上不能超过进化论的局限。他曾说过，在早年读俄国文艺时，“从文学里明白了一件大事，是**世界上有两种人**：压迫

者与被压迫者”（《南腔北调集 · 祝中俄文字之交》）。这个划分，诚如他自己所说：“从现在看来，是谁都明白，不足道的；但在那时，却是一个大发见，正不亚于古人发见了火的可以照暗夜，煮东西。”（同上）然而从历史唯物论的观点来看，仅仅认识了压迫者与被压迫者的对立，还是不够的，问题是在于要进一步把握，在一定的历史发展阶段，什么样的压迫阶级和什么样的被压迫阶级对立，并且怎样对立。在一九二七年，他曾在演讲中特别强调“诗文完全超于政治的所谓‘田园诗人’、‘山林诗人’是没有的，完全超出于人间世的，也是没有的”（《而已集 · 魏晋风度及文章与药及酒之关系》），这正是突破庸俗的超然文学观的卓越理论。然而他在当时究竟还不是依凭阶级关系的分析去研究文艺史，所以不能更本质地解决文艺的历史发展诸问题。认识上的局限和真理的追求发生了不可调和的冲突，这使他不能继续停留在进化论的阶段，而不能不迫切寻求新的“思路”。他终于用马列主义的阶级论代替了多年的进化论。经过了这个巨大的蜕变，他在最后七八年间思想活动的战果，几乎可以说超过了他过去二十年的思想劳绩。现在很有些人好意地否认鲁迅在一九二八年后的思想突变，以为承认这种突变，就否定了鲁迅思想的一贯性，我以为是没有了解真理的发展规律，同样也没有了解鲁迅。在个人思想史上，有什么比跨过一座思想高山这件事更艰难更光辉的呢？鲁迅自己是没有否认他的思想突变的。他很早就说过，“**多有不自满的人，永远前进，永远有希望**”（《热风》），他就是一个最不自满而永远前进的思想战士，他不但顽强地跟周围的黑暗主力搏战，而且坚定地和他自己的过去斗争，这恰是他的平凡中的伟大。正因为他能够有勇气有识力改变自己的“思路”，才能显示出他的思想的一贯性（现实主义的本质）的发展，也才能显示他的思想战斗的光芒；而历史就在他身上指证了无产阶级世界观的优越，预示了中国革命运动的胜利。

鲁迅的了解一切问题，始终显示了一贯的特点，就是依靠直感与经验，深入具体的事物及其相互关系，掘出它们的矛盾。他早年从经验与直感中熟识了各阶级的生活相与矛盾性，意识到了压迫者（治人者）和被压迫者（治于人者）是永远不能相通的，是在矛盾与敌对中联系的（《春末闲谈》提供了辉煌的范例）。所以在他自觉地用阶级论来代替进化论之后，他对于阶级斗争、阶级性与阶级关系的理解与阐释，比许多早就接受了马克思主义的文化人深刻得多，也切实得多。

鲁迅的阐释阶级论，正如他的解剖别的事物一样，不是出以抽象的说教，而是用绵密的思力与实践去探掘现实矛盾的泉源。正像传说中的由大禹在夜里化成的黄熊，是亲自用他的坚嘴与利爪，去疏九河的。（不会又有人以为我是在拿鲁迅比做大禹吧。）他在一九二八年已经坚定地宣称文学、性格、感情等“都带着阶级性”，因此“不相信有一切超乎阶级，文章如日月的永久的大文豪”（《三闲集·文学的阶级性》）。关于阶级性的解说，在他的杂文中提供了浮雕似的范例。他把阶级性表现得如此明确和生动，使人好像从银幕上看到了各个阶级所扮演的角色的容貌，的性格，的搏击。下面就是两则关于人性与阶级性的关系之科学的艺术的解说：

> 而且，人性是永久不变的么？
>
> 类人猿、类猿人、原人、古人、今人、未

来的人……如生物真会进化，人性就不能永久不变。不说类猿人，就是原人的脾气，我们大约就很难猜得着的，则我们的脾气，恐怕未来的人也未必会明白，要写永久不变的人性，实在难哪。

譬如出汗罢，我想，似乎于古有之，于今也有，将来一定暂时也还有，该可以算得较为"永久不变的人性"了。然而"弱不禁风"的小姐出的是香汗，"蠢笨如牛"的工人出的是臭汗。不知道倘要做长给世上的文字，要充长留世上的文学家，是描写香汗好呢，还是描写臭汗好？这问题倘不先行解决，则在将来文学史上的位置，委实是"岌岌乎殆哉"。(《而已集·文学和出汗》)

梁先生以为无产者文学理论的错误，是"在把阶级的束缚加在文学上面"，因为一个资本家和一个劳动者，有不同的地方，但还有相同的地方，"他们的人性（这两字原本有套圈）并没有两样"，例如都有喜怒哀乐，都有恋爱（但所“说的是恋爱的本身，不是恋爱的方式”），“文学就是表现这最基本的人性的艺术”。这些话是矛盾而空虚的。既然文明以资产为基础，穷人以竭力爬上去为“有出息”，那么，爬上是人生的要谛，富翁乃人类的至尊，文学也只要表现资产阶级就够了，又何必如此“过于富同情心”，一并包括“劣败”的无产者？况且“人性”的“本身”，又怎样表现的呢？譬如原质或杂质的化学底性质有化合力，物理学底性质有硬度，要显示这力和度数，是须用两种物质来表现的，倘说要不用物质而显示化合力和硬度的单单“本身”，无此妙法；但一用物质，这现象即又因物质而不同。文学不借人，也无以表示“性”，一用人，而且还在阶级社会里，即断不能免掉所属的阶级性，毋需加以“束缚”，实乃出于必然。自然，“喜怒哀乐，人之情也”，然而穷人决无开交易所折本的懊恼，煤油大王哪会知道北京捡煤渣老婆子身受的辛酸，饥区的灾民，大约总不会去种兰花，像阔人的老太爷一样，贾府上的焦大，也不爱林妹妹的。“汽笛呀！列宁呀！”固然并不就是无产文学，然而“一切的东西呀！”“可喜的事来了，人喜了呀！”也不是表现“人性”的“本身”的文学。倘以表现最普通的人性的文学为至高，则表现最普通的动物性——营养、呼吸、运动、生殖——的文学，或者除去“运动”，表现生物性的文学，必当更在其上。倘说，因为我们是人，所以表现人性为限，那么，无产者就因为是无产阶级，所以要做无产文学。（《二心集·硬译》与《文学的阶级性》）

从上面两则标本中，我们读到了光芒四射的阶级论的阐发。作者向我们提出了如下的真理：**抽象的超阶级的不变人性在现实社会中是根本不存在的**，离开了具体的阶级关系的把握，无视了人世间的阶级性，就决不能说明和表现人性。由于社会生活——阶级关系在不断迁流，人性也是借阶级性来表现自身的改变的，所以现代的人性决不同于古代的人性。同时由于阶级关系决定人性，各个不同的阶级就有不同的生活形态，所以无产阶级的观念、趣味、习性和情绪也决不同于资产阶级。在阶级社会里，阶级性是必然表现在一切生活领域和意识领域中的；如果剥削阶级有它自己的文化，那么，被剥削阶级为了生存与战斗，也就必须有自己的文化，无产阶级文学就是其中之一种。在这里，鲁迅不仅直接粉碎了“文学当描写永久不变的人性”（《文学和出汗》）、“文学是表现最基本的人性的艺术”（《硬译》与《文学的阶级性》）的资产阶级文学理论，实际上也间接打破了一切反动集团超阶级的谬论。在这里，鲁迅列举了许多生动鲜明的实例来帮助真理的阐明。然而你决不会以为他是用例证来凑合理论，相反的，他是从活生生的理论与实际的溶合中，来发掘和烛照真理。他所举的例证不是装饰客厅的瓶花，而是天然开在枝头的花朵。

鲁迅不仅看穿了社会的阶级敌对的实质，而且用电光似的炯眼洞察了在现社会中各个阶级的没落与上升，用火炬似的笔力照耀了无产阶级的战斗雄姿和胜利希望。他确信“唯有新兴无产者才有将来”，因此把他过去寄托在青年身上的光明希望和伟大热爱，更集中地更具体地寄托在无产阶级身上（自然，他到死也没有减弱对于青年的希望与热爱）。他丝毫不讳言自己是献身于无产阶级的战士；在他加入了新兴人群的战垒之后，他更像崇山般地屹立在政治的文化的战场上，公开表示自己和无产阶级革命运动的联系，挥动他的双峰似的巨臂，和一切阶级敌人作不倦的搏斗。当“丧家的资产阶级的乏走狗”（《二心集》）在那里对无产阶级狂吠，否认后者的自觉的时候，他挺身出来提出抗辩，他用“以子之矛攻子之盾”的战法，把敌手所主张“无产阶级本来没有阶级的自觉，是几个过于富有同情心而又态度偏激的领袖把这个阶级观念传授了给他们”（《硬译》与《文学的阶级性》）的理论捣得稀烂：

> 不错，但我以为传授者应该并非由于同情，却因了改造世界的思想。况且“本无其物”的东西，是无从自觉，无从激发的；会自觉，能激发，足见那是原有的东西。原有的东西，就遮掩不久。即如格里莱阿说地体运动，达尔文说生物进化，当初何尝不或者几被宗教家烧

> 死，或者大受保守者攻击呢？然而现在人们对于两说，并不为奇者，就因为地体终于在运动，生物确也在进化的缘故。承认其有而要掩饰为无，非有绝技是不行的。(《硬译》与《文学的阶级性》)

中国无产阶级在大革命失败后的十年间，遭受了人世间最残酷最恶毒的迫害和摧残，然而他们一面在用血写出自己的失败史，也另一面在用血写出自己的胜利史。这样的胜利虽则是局部的，个别的，无产阶级战士总是以含泪的喜悦珍视它们，发扬它们。作为无产阶级文学运动领袖的鲁迅，在柔石等七位文化战士流血以后，用那为了无产阶级文学而写的悲壮的颂诗，代替了那为死难烈士而唱的哀伤的挽歌：

> 中国的无产阶级革命文学在今天和明天之交发生，在诬蔑和压迫之中滋长，终于在最黑暗里，用我们的同志的鲜血写了第一篇文章。(《二心集·中国无产阶级革命文学和先驱的血》)

战士的流血并未使他因感伤而颓唐，相反的，他在战场上站得更稳。他的心搏和大众的心搏交响成为一片。人们分辨不出：是他以大众的喜怒哀乐为喜怒哀乐，还是大众以他的喜怒哀乐为喜怒哀乐。不管阶级敌人的刀斧是如何凶残，但他毫不动摇地指出："无产阶级文学却仍然滋长，因为这是属于革命的广大劳苦大众群众的。**大众存在一日，壮大一日，无产阶级文学也就滋长一日。**"（同上）他的预言已经由历史的事实证明，将来还要由更光辉的历史事实来证明。

实际上，无产阶级和无产文学不仅受到暴力的摧残，也遭到那些被豢养的走狗文人的围剿。"民族主义文学家"就曾尽了这种猎狗的任务，他们用造谣、诬蔑和一切卑劣伎俩向无产阶级与无产阶级文学进攻。鲁迅对他们作了最凶猛的打击。他宣布所谓民族主义文学不过是"宠犬派"文学，揭穿反动阶级的文人向来以"自欺欺人的种种美名来掩饰自己的溃败，一到旧社会的崩溃愈加分明，阶级斗争愈加锋利的时候，他们也就看见了自己的死敌，将创造新的文化，一扫旧来的污秽的无产阶级，并且觉到了自己就是这污秽，将与在上的统治者同其运命，于是就必然漂集在为帝国主义所宰制的民族中的顺民所竖起的‘民族主义文学’的旗帜之下，来和主人一同作一回最后挣扎了”(《二心集·民族主义文学的任务和运命》)。他用画笔描出了民族主义文学的本质，批判了它的没落的命运，也画出了甘为帝国主义宠犬的反动阶级的鬼脸，判定了他们的最后归宿：

> 他们将只尽些送丧的任务，永含着恋主的哀愁，须到无产阶级革命的风涛怒吼起来，刷洗山河的时候，这才能脱出这沉滞、猥劣和腐烂的命运。(同上)

中国阶级斗争的尖锐发展，不仅使地主、豪绅、资产阶级在惶恐的绝叫中，动员了全副武装的物质力量和精神力量加紧对工农的围剿，同时也使一部分落后的小资产阶级分子（大体上说来，小资产阶级在当时与工农建立了革命联盟）预感到了自己没落的命运，怕见工农革命运动的胜利，而投身到资产阶级地主的阵营。他们和欧洲的社会民主党一样，披了马克思主义的外衣，对进步势力大放冷箭。鲁迅所说的“在指挥刀的保护之下，挂着‘左翼’的招牌，在马克思主义里发见了文艺自由论，在列宁主义里找到了杀尽‘共匪’说的论客”（《南腔北调集·论第三种人》），就是指这批人而言。他们之中一部分人以“第三种人”的面目出现，自命为超然于阶级斗争与政治敌对之外的理论家与作家，但其实他们分明是在反革命的刀光剑影中袭击革命，因为他们“不向强者反抗，而反在弱者身上发泄”（《坟·杂忆》），不向压迫者争求自由，而反向被压迫者要求自由。为了保卫革命文学和整个革命战线，鲁迅揭去了这些虚伪的自由主义者的“超然”面具。他挥动阶级论的武器，指出：“虽是‘第三种人’，却还是不能超脱阶级的，……作品里又岂能摆脱阶级的利害？”（《论第三种人》），指出那些“生在有阶级的社会里而要做超阶级的作家，生在战斗的时代而要离开战斗而独立，生在现在而要做给与将来的作品”（同上）的人们，其幻想“恰如用自己的手拔着头发，要离开地球”一样可笑。

鲁迅的彻底的阶级论，一点不掩藏地和政治战斗取得了密切的联系，这种联系正是他过去反对“超于政治”

的文学的历史现实主义的深广发展。他确信，一切应服从于最高的阶级革命任务，而这任务，在现在只有通过政治斗争表现出来。凡是把阶级关系和政治斗争切离开来的有害倾向，在他都是绝对不能容忍的。然而仅仅承认阶级斗争和政治斗争还是不够的，资产阶级和小资产阶级的“马克思主义者”有时也能够靠了这种虚伪的承认来掩饰其“挂羊头卖狗肉”的勾当。一个真正的科学社会主义者，必须坚信无产阶级在革命运动中的最高领导权，坚信无产阶级靠了阶级专政能够最后消灭阶级敌对，建立无阶级的社会。鲁迅就是这样的一个社会主义战士。当帝国主义及其奴才在那里诬蔑苏联，用无产阶级专政的“可怕结果”来恐吓“知识阶级”的时候，他立刻提出反问:“无产阶级专政，不是为了将来的无阶级社会么？只要你不去谋害它，自然成功就早，阶级的消灭也就早，那时就谁也不会‘饿死’了。”（《南腔北调集 · 我们不再受骗了》）当幼稚病者在那里用恐吓代替正当的革命战术，来打击论敌的时候，他立刻作了纠正:“无产者的革命，乃是为了自己的解放和消灭阶级，并非因为要杀人。”（《南腔北调集 · 辱骂与恐吓决不是战斗》）他无畏地宣布自己愿为无产阶级的胜利贡献一切，因为他“确切的相信无阶级社会一定要出现”（《且介亭杂文·答国际文学社问》）。

鲁迅的坚决皈依无产阶级社会主义，正是他过去一贯反对社会黑暗和政治野蛮的战斗精神发展的必然结果。他曾坦然地承认：**“我的反抗，不过是与黑暗捣乱。”**（《两地书》）不过，他早年在反对黑暗的战斗中，最引为苦闷的，是那些资产阶级和小资产阶级的战伴动摇变节，而一时又不能找到“新的战友在哪里”（《自选集》自序）。同时在思想上，他也常常直感到，社会**如不彻底改变，任何局部的改良主义和温情的人道主义，都不能根本解决社会问题**。例如在一九一八年他曾说过：“人道不是靠布施捐助得到的，是要用奋斗培养出来的。”（《热风》）一九二三年他曾经赞成妇女要争得经济权，但他接着又指出：“在经济方面得到自由，就不是傀儡了么？也还是傀儡。……因为在现在的社会里，不但女人常做男人的傀儡，就是男人和男人，女人和女人，也相互地做傀儡，男人**也做女人的傀儡**，这**决不是几个女人取得经济权所能救的**。……如果经济制度竟改革了，那上文当是废话。”（《坟·娜拉走后怎样》）值得注意的是，他这时已受了唯物史观与阶级论的初步影响，或者不自觉地吐露了新社会观的幼芽。为了要寻找“新社会的战友”，为了要追求彻底变革社会的方案，他的跨过个性主义与人道主义，而走向集体主义与社会主义，正是非常自然的事情。不过，这种转变还是经历了一个相当长的过程的，我们有加以研究的必要。

如众周知，鲁迅在最初是倾向于个性主义的，他在青年时期提出了“任箇人而排众数”（《文化偏至论》）的主张。在“五四”时代，他曾说过：“个人的自大，就是独异，是对庸众宣战。”（《热风·随感录》三十八）又说：“必须先改造自己，再改造社会，改造世界。”（《热风·恨恨而死》）显然看得出尼采、史蒂纳等给予他的影响（自然，他并非无条件地接受尼采等的影响，他对于尼采的超人说，就始终抱了怀疑态度。参看拙作：《再论鲁迅的思想遗产》）。如果关联着清末到“五四”时代的中国社会状态与政治情势来看，人们必须承认，鲁迅的坚持这种个性主义，是可以在反封建，反“愚民的专制”的战斗意义中，找到历史的解释的。而他的个性主义却又不同于资产阶级的个人主义，因为他痛恨资产阶级地主的自私自利，倾向于平等互助的精神，同情被压迫的弱者，憎恶“向弱者抽刃”的孱头。一到了民族革命与阶级斗争显示了民众力量的伟大，他**便开始放弃个性主义的阵地，而转向于新民主的集体主义**。他在一九**二四年已经说过**：

> 天才并不是自生自长在深林荒野里的怪物，**是由可以使天才生长的民众产生，长育出来的，所以没有这种民众，就没有天才**。有一回拿破仑过Alps山，说：“我比Alps山还要高！”这何等英伟，然而不要忘记他后面跟着许多兵；倘没有兵，那只有被山那一面的敌人捉住或者赶回，他的举动言语，都离了英雄的界线，要归入了疯子一类了。所以我想，在要求天才的产生以前，应该先要求可以使天才生长的民众。（《坟·未有天才之前》）

在一九二五年，他更明确地承认群众在改革运动中的力量，但教示有志于革新的青年，要注意于群众的教育与训练：

> 更进一步而希望于点火的青年的，是对于群众，在引起他们的公愤之余，还须设法注入深沉的勇气当鼓舞他们的感情的时候，还须竭力启发明白的理性；而且还得偏重于勇气和理性，从此继续地训练许多年。(《坟 · 杂忆》)

在一九二六年，他更锐利地喊出，“唯有民魂是值得宝贵的，唯有它发扬起来，中国才有进步”(《华盖集续编 · 学界的三魂》)。在这里，他强调了发展民众力量争取革命新胜利的主张。

这其实是他过去所提出的启发人民自觉的主张在群众本位思想下的具体发挥，和以人民为阿斗的诸葛亮专政主义是有着本质上的差别的。因为如果他不承认群众有“理性”与“勇气”，就无从“启发”。

诚然，在一九二八年以前，他和无产阶级的集体主义——社会主义还有相当距离，但不能忽视从“二七”

运动直到大革命这一段期间，他的**思想正在酝酿着新的变化，这正是他的日后跨向社会主义的一个历史性的准备**。不把握这一关节，是不能圆满地说明鲁迅的思想转变的。

假如在一九二三——一九二七年之间，是鲁迅由个性主义向民主集体主义转变的时期，那么，一九二八年就是他由民主集体主义向社会主义的集体主义转变的关口。从那以后，他便高举社会主义的大纛，为被压迫大众的生存与解放而勇猛战斗。“革命的爱在大众”，他是用了他的全部生命力实践这个主张的。资产阶级的文人在不断侮蔑大众，他反击了这种侮蔑，说：“梁实秋先生们虽然很讨厌多数，但多数的力量是伟大的，要紧的。”（《二心集·习惯与改革》）拥护旧社会秩序的学者把文化看作是由少数人创造的，他讥刺了这种历史观，说：“中国的学者们，多以为各种知识，一定出于圣贤，或者至少学者之口；连火与草药的发明应用，也和民众无缘，全由古圣王一手包办。”（《花边文学·知了世界》）他确切的相信人民大众是历史的创造者，信赖大众的力量与正确。那些大众的压迫者，剥削者，那些屠杀大众的刽子手及其帮凶，不但在行动上，而且也在思想上把大众当做蝼蚁一样践踏；鲁迅愤怒地嘲笑了这些“蚍蜉撼大树，可笑不自量”的英雄：

> “**他们以为华夏的人口太多了**”，第一位大员道，“**减少一些也是致太平之道。况且那些不过是愚民，那喜怒哀乐，也决没有智者所推想的那么精微的。知人论事，第一要凭主观，例如莎士比亚**”……
>
> 放他妈的屁！禹心里想，但嘴上却大声的说道：**我经过查考，知道先前的方法：“湮”确是错误了。以后应该用“导！”**……（《故事新编·理水》）

在这里，活画出了那些蔑视大众糟蹋大众的正人君子的嘴脸，同时也描出了一切尊重大众爱护大众的严肃工作者的胸襟。——禹作了这种精神的象征。为了刻画这种精神，鲁迅描写了禹坚决打破旧的成法，尊重民众意见改“湮”为“导”的无畏气概：

我看大人还不如“干父之蛊”，一位胖大官员看得禹不作声，以为他就要折服了，便带些轻浮的大声说，不过脸上还流出着一层油汗。“照着家法，挽回家声。大人大约必知道人们在怎样讲说老大人罢……”

要而言之，“湮”是世界上已有定评的好法子，白须发的老官恐怕胖子闹出岔子来，就抢着说道：别的种种，所谓“摩登”者也，昔者蚩尤氏就坏在这一点上。

禹微微一笑：我知道的。有人说我的爸爸变了黄熊，也有人说他变了三足鳖，也有人说我在求名，图利。说就是了。我要说的是我查了山泽的情形，**征了百姓的意见**，已经看透实情，打定主意，无论如何，非“导”不可！（《故事新编·理水》）

由侮蔑大众来打击大众的革命战斗，这原是一切压迫者及其“帮忙”与“帮闲”通行的战术。他们明明也知道大众力量的可畏，但他们却有一枝阿Q主义的曲笔，把明是非、辨黑白的大众谑画成为“盲目的暴力”。“没有理性，没有明确利害观念”，“鸡来迎鸡，狗来迎狗”，这就是“第三种人”。杜衡评述莎士比亚名剧《撒凯传》时对于“群众”所下的论断（聪明的读者不会以《理水》中提到莎士比亚的名字而感到奇突吧），而这一论断确也代表一般畏惧工农革命者的普遍心理。鲁迅用愤火照出了他们的肺腑，同时也击中了他们隐隐作痛的伤疤：

> 真的，“发思古之幽情”，往往为了现在。这一比，我就疑心罗马恐怕也曾有过有理性，有明确的利害观念，感情并不被几个煽动家所控制，所操纵的群众，但是被驱散，被压制，被杀戮了。莎士比亚似乎没有调查，或者没有想到，但也许是故意抹煞的，他是古时候的人，有这一手并不算什么玩把戏。(《花边文学·又是莎士比亚》)

在另一处，他提出了与侮蔑大众者尖锐对立的见解：

老百姓虽然不读诗书，不明史法，不解在瑜中求瑕，屎里觅道，但能从大概看，明黑白，辨是非，往往有决非清高通达的士大夫所可几及之处的。刚刚接到本日的《大美晚报》，有《北平特约通讯》，记学生游行，被警察水龙喷射，棍击刀砍，一部分则被闭于城外，使受冻馁。“此时燕冀中学，师大附中及附近居民纷纷组织慰劳队，送水，烧饼，馒头等食物，学生略解饥渴……” **谁说中国的老百姓是庸愚的呢？被愚弄，骗诓，压迫到现在，还明白如此。**（《且介亭杂文二编·“题未定”草》）

历来的反动统治者用了一切暴力和毒谋将民众压迫得成了病态，还要无耻地把国势阽危、内忧外患归责于老百姓，每逢外侮逼至，中国小百姓就得到了“一盘散沙”的恶谥。鲁迅依据明确的阶级观点，指出了谁是“一盘散沙”状态的真正负责者，他说：

小民虽然不学，见事也许不明，但知道关

于本身利害时，何尝不会团结。先前有跪香，民变，造反；现在也还有请愿之类。他们的像沙，是被统治者“治”成功的，用文言来说，就是“治绩”。(《南腔北调集·沙》)

在鲁迅还没有成为一个阶级论者以前，他对于大众——尤其是农民——的痛苦，是深深地觉察到了的，他“知道他们毕生受着压迫”(《集外集拾遗·英译本短篇小说选集自序》)。后来他“看了许多外国小说……才明白了世界上也有这许多和我们的劳苦大众同一命运的人”(同书)。然而先前他只能根据人道主义对他们表示同情。一到他接受阶级论以后，他便清楚地认识了，唯有依靠被剥削阶级的独立战斗，才能解除大众的痛苦。因此，提高大众的阶级自觉，让他们“理解自身所遭受的压榨”(病中答《救亡情报》记者的谈话，转引自萧参作《纪念鲁迅》)，正是增强大众战斗力量的第一步。他指明：“**被压迫者对于压迫者，不是奴隶，就是敌人**，决不能成为朋友，所以彼此的道德，并不相同。”(《且介亭杂文二集·后记》)他指出，剥削阶级为要教被剥削阶级忘了自己的痛苦，麻痹大众的不平的灵魂，常是拿有利于少数吃人者的道德来笼罩天下，以便安稳地享用人肉筵宴；因此“劝人安贫乐道成了古今治国平天下的大经络”（《花边文学·安贫乐道法》）。他用了蘸着愤怒的笔尖讽刺了不把大众当人的“安贫乐道法”，这类讽刺文除了一再见于他的杂感文外，在他的故事速写中也可以找到：

“你们坐近一点来！”禹不答他的询问，只对大家说，“查的怎么样？”

大员们一面膝行而前，一面面面相觑，列坐在残筵的下面，看见咬过的松皮饼和啃光的牛骨头，非常不自在——却又不敢叫膳夫来收去。

“禀大人”，一位大员终于说，“倒还像个样子，——印象甚佳。松皮水果，出产不少；饮料呢，那可丰富得很。**老百姓都很老实，他们是过惯了的。禀大人，他们都是以善于吃苦**，驰名世界的人们。”（《故事新编·理水》）

“人肉筵宴”的享用者是要劝大众“安贫乐道”，而鲁迅却是要教大众“想到自己的力量”（《南腔北调集·谈金圣叹》)。为了要帮助大众的战斗，他号召“有志于改革者……深知民众的心，设法利导，改进”(《二心集·习惯与改革》)，他劝告“做伟大事业的人要把自己当做大众中的一个人”(《且介亭杂文·门外文谈》)，他提倡大众文化（新文字、大众语、连环图画、木刻等），去加强大众的精神武装力量。

第六节　表现在鲁迅思想中的民族主义与国际主义的一致

鲁迅灵活地运用了阶级论来袭击旧社会和“黑暗主力”，代表劳苦大众而呐喊，而战斗，使他由民主主义者进步而为社会主义者，由民族主义者发展而为国际主义者。但是，在鲁迅的思想中，正如在一切中国无产阶级战士的思想中一样，社会主义和民主主义，国际主义和民族主义，正是统一起来，不可分裂的。在下面，我们就要研究鲁迅的民族主义和国际主义的一致。

鲁迅晚年的接受国际主义，从他个人的思想发展过程看来，和他早年反对国粹主义的战斗是有着直接的联

系的，正如他的接受社会主义（无产阶级的社会主义，也就是国际主义），和他过去反对中庸主义的战斗传统，有着直接的联系一样。他唯恐“中国人自世界挤出”，所以和一切崇奉国粹的顽固派苦斗。他后来不但没有如别人一样从反国故的战线退却，并且以愈战愈韧的精神继续打击一切开倒车的复古分子。在战斗过程中，他看出了帝国主义的反动和腐败，看出了世界工人阶级的生长与锐进，终于做了国际资产阶级的死敌和世界劳苦大众的战友。

如果鲁迅在辛亥革命前夜所憧憬的，是“自觉至，个性张”的“人国”，在“五四”时代所憧憬的，是“一要生存，二要温饱，三要发展”的民族国家，在大革命时代所憧憬的是“中国历史上未曾有过的第三样时代”，那么，在大革命失败后，他所向往的，就是“没有人压迫人的无阶级社会”。这个“理想之光”照耀他站在国际主义大旗下为无产阶级战斗到死的巨大工作，燃烧他的反剥削制度的新人道主义精神。他不是一个空谈理论的书斋马克思主义者，他的战斗的批判的现实主义精神，帮助他处处从实际上去磨锐社会主义与国际主义的锋刃。因此，他热烈地同情和保卫“一个簇新的，真正空前的社会制度，从地狱里涌现而出，几万万群众自己做了支配自己命运的人”（《南腔北调集·林克多苏联闻见录序》）的苏联；他咒诅那些诬蔑和毁谤苏联的帝国主义者，揭穿了他们欺骗大众的鬼蜮伎俩：

> 帝国主义和我们，除了它的奴才之外，哪一样利害不和我们正相反？我们的痈疽，是它们的宝贝，那么，它们的敌人，当然是我们的朋友了。它们自身正在崩溃下去，无法支持，为挽救自己的末运，便憎恶苏联的向上。谣诼，诅咒，怨恨，无所不至，没有效，终于只得准备动手去打了，一定要灭掉它才睡得着。但我们干什么呢？我们还会再被骗么？（《南腔北调集·我们不再受骗了》）
>
> 帝国主义的奴才们要去打，自己（！）跟着它的主人去打去就是。我们人民和它们利害是完全相反的。我们反对进攻苏联。我们倒要打退进攻苏联的恶鬼，无论它说着怎么甜腻的

话语，装着怎样公正的面孔。（同上）

民族主义和国际主义的统一，在鲁迅晚年的思想中，是表现得再明确没有。在早年，对于帝国主义的侵略和宰割中国民族，他是深深地感觉到的，并且用了猛烈的火力去攻击残暴恶毒的民族敌人，但那时仅仅是把民族主义和民主主义结合起来。只在他接受了阶级论以后，他才自觉地把握了中国革命和世界革命的联系。史太林说：“**民族问题，只有与无产阶级革命联系起来，并且在无产阶级革命的基础上才能得到解决**，而西方革命胜利的道路，须经过与**殖民地和附庸国家反帝国主义的解放运动的联盟**。”（《论民族问题》中译本）这个公式在鲁迅的思想表现中，是灵动地被运用着。在许多地方，他总是坚定而具体地昭示出：中国民族和帝国主义与法西斯主义是处于绝对敌对的地位，但和世界无产阶级、社会主义国家与一切被压迫民族站在同一战线上。他的**辨明友敌分别憎爱的现实主义精神**，在**确立民族主义与国际主义的关系中，达到了最高的表现**。在东洋帝国主义的血爪开始攫夺东北土地的第三天，他回答了文艺新闻社的一个时局问题：

> 这在一面，是日本帝国主义在“膺惩”他的仆役……中国军阀，也就是“膺惩”中国民众，因为中国民众又是帝国主义的奴隶；在另一面，是进攻苏联的开头，是要使世界的劳苦群众，永受奴隶的苦楚的方针的第一步。（《二心集·答文艺新闻社问》）

在这百余字的答案中，分明指示了中国人民和苏联与世界劳苦大众在利害上的联带一致，揭露了东方帝国主义侵略中国的真实意义，说明了这个侵略对于中国革命与世界革命的威胁，也暗示了中国民族统一战线结成的可能。

正因为鲁迅站在民族的与无产阶级的立场，坚定地把握住了民族主义与国际主义的有机关联性，所以他对于帝国主义的斗争，是用了最高度的警觉性与明确性贯彻着的。他不断指出了民族殖民地化的危机，证明不能争取民族的彻底解放，一切民族复兴、工商救国的空论都不过是梦呓。那原因是**“国际的财神爷扼住了中国的喉咙，连气也透不出”**（《南腔北调集·真假堂吉诃德》）。他在大声警告，帝国主义是时刻在怀着杀机，用枪尖瞄准着中国人民，“四万万靶子，都排在文明最古的地方，私心在侥幸的，只是还没有被打着”（《准风月谈·抄靶子》）。他更揭穿了帝国主义在不断用“公理”、“正义”、“人道”之类的鬼话欺骗被压迫民族，因此提醒国人对于帝国主义阴谋的警觉与戒备：

> 一睁开眼，就露出恶鬼的本相来的，——它要去惩办了。它一面去惩办，一面来诓骗。正义、人道、公理之类的话，又要满天飞舞了。但我们记得，欧洲大战时候，飞舞过一回的，骗得我们的许多苦工，到前线去替它们死，接着是在北京的中央公园里竖了一块无耻的、愚不可及的“公理战胜”的牌坊（但后来又改掉了）。现在怎样？“公理”在哪里？这事还不过十六年，我们记得的。（《南腔北调集·我们不再受骗了》）

是的，中国人民“第一需要记性”（《坟·娜拉走后怎样》）。在这第二次世界大战一触即发的时期，鲁迅的教训是值得一切中国人记取的。

帝国主义要征服殖民地，必须要豢养当地土产的鹰犬，这些鹰犬不管在打着怎样好看的旗帜……“民族主义”也好，“国粹主义”也好，但他们总不外是“一面靠着帝国主义的暴力，一面利用本国的传统之力，以除去‘害群之马’，不安本分的‘莠民’……其地位虽在主人之下，但总在别的被统治者之上的”（《二心集·民族主义文学的任务和运命》）。鲁迅是怀着极大的恨意来攻击这些鹰犬的：

> 德皇威廉因为要鼓吹“德国德国，高于一切”，而大叫着“黄祸”，这一张“亚细亚勇士们张大”的“吃人的血口”，我们的诗人却是对着“斡罗斯”，就是现在无产者专政的第一个国度，以消灭无产阶级的模范——这是“民族主义文学”的目标；但究竟因为是殖民地顺民的“民族主义文学”，所以我们的诗人

所奉为首领的，是蒙古人拔都（Batu），不是中华人赵构，张开“吃人的血口”的是“亚细亚勇士们”，不是中国勇士们，所希望的是拔都的统驭之下的“友谊”，不是各民族间的平等的友爱——这就是露骨的所谓“民族主义文学”的特色，但也是青年军人的作者悲哀。（《二心集·民族主义文学的任务和运命》）

在这里，他不仅仅揭破了民族主义文学的本质，抑且展示了他的民族主义要求和国际主义精神的交流。他所要爱护的，是“**无产阶级的模范**”，“无产者专政的第一个国度”所争求的，是“**各民族间的平等的友爱**”。根据这个观点，他把对于帝国主义的热烈的憎，和对于社会主义的热烈的爱，从一个中国人的立场倾泻出来：

……十来年前，说过苏联怎么不行，怎么无望的所谓文明国人，去年是在苏联的煤油和麦子面前发抖。而且我看见确凿的事实：他们是在吸中国的膏血，夺中国的土地，杀中国的

人民。他们是大骗子，他们说苏联坏，要进攻苏联，就可见苏联是好的了。(《二心集·林克多苏联闻见录序》)

根据同一观点，他掷出了强烈的反法西斯主义的投枪。他公开宣布自己是“憎恶法西斯蒂的一个”(《南腔北调集·又论“第三种人”》)。在他的杂文中，他不止一次对法西斯蒂屠杀民众，压迫革命，消灭自由和摧残文化的暴行作了锐利的抗议与讽刺。尤其值得注意的是，他很早就看到了一切帝国主义国家正在向法西斯化的道路奔驰：

据说，现在的世界潮流，正是庞大权力的政府的出现，这是十九世纪人士所梦想不到的。意大利和德意志不用说了；就是英国的国民政府，“它的实权也完全属于保守党一党”。美国新总统所取得的措置经济复兴的权力，比战争和戒严时期还要大得多。大家做动物，使上司不必征求什么同意，这正是世界的潮流，

懿欤盛哉，这样的好榜样，哪能不学？（《准风月谈·同意和解释》）

鲁迅的反对法西斯主义，不单是作为一个民主主义者出阵，同时也是作为一个社会主义者迎战。他曾参加过反法西斯主义的国际组织，一九三三年在上海召开的反世界大战反法西斯蒂大会，他便是组织者之一。他曾率领上海文化团体代表亲赴上海德国领事馆对纳粹摧残文化的暴行提抗议书；他也曾热烈表同情于西班牙人民的反法西斯战争（以上三点参考萧参作《纪念鲁迅先生》）。就在反法西斯斗争中，他也把握到了中国民主革命与国际主义运动的联系。正因为他坚强反对帝国主义，拥护世界劳苦大众利益，所以极端憎恶国际法西斯蒂恶魔；也正因为他热烈支持中国工农大众解放战斗，反抗大资产阶级大地主的反动势力，所以猛烈攻击国内的法西斯主义毒焰。他不只一次嘲笑了和打击了那些偷运和抄袭外国法西斯主义的“黄脸干儿们”（《准风月谈·华德焚书异同论》），他曾特别强调反法西斯倾向的争民主运动，喊着“第一步要努力争取言论的自由！”（《二心集·答中学生杂志社问》）在他和他的战友的号召之下，保卫民主反抗法西斯主义的伏流是在各地文化界奔驶着。

和他的攻击干儿式的法西斯主义一同，他反对阿Q式的民族主义。阿Q式的民族主义者一听到了“黄祸”两个字，便“得意了好几年，准备着去做欧洲的主子”（《准风月谈·黄祸》）。他们一向在夸耀着：“成吉思汗征服欧洲，是我们最阔气的时代。”（《且介亭杂文·随便翻翻》）他们“硬霸‘元人’为自己的先人，仿佛满脸光彩似的，去骄傲同受压迫的斯拉夫种”。正像阿Q以做赵太爷的“本家”为光荣一样（《三闲集·吾国征俄战史之一页》）。他们要“追随拔都元帅之后”（《民族主义文学的任务和运命》）去“西征斡罗斯”，但是他们实际上是在帮忙恩主转移大众反对帝国主义的目光。是要大众追随在大亚细亚勇士的之后，去进攻中国真正的友邦。鲁迅用雷火照出了他们散布的“美丽的毒菌”。在他的历史解剖刀之下，暴露了阿Q式的民族主义者的浅薄无聊与昏庸无耻：所谓“黄祸”，其实是德皇威廉所想象的佛陀侵入欧洲文化，与华夏无关；所谓“最阔气的时代”，“其实是蒙古人征服了中国，我们做了奴才”的时代（《随便翻翻》），而所谓“西征斡罗斯”，“倒是俄人做奴的资格比我们老”（同上）。

鲁迅的民族主义，也就是中国无产阶级的民族主义，是跟一切民族失败主义、法西斯主义、和阿Q式的民族主义势不并立的，因为它和国际主义是血肉相连的。从国际的意义来说，它所追求的，是“**各民族间的平等的友爱**”，其最后目的是实现“无阶级的社会”。但是，中国还处在帝国主义暴虐压迫之下，不首先推翻帝国主义在华的统治，争得民族的彻底解放，中国人民就不能摆脱奴隶的枷锁，走向更高阶段的革命。鲁迅在作为国际主义者参加反帝国主义，反法西斯主义的战斗时，没有叫他的爱国热心打半点折扣。他确凿地宣称：“**我不但是一个作家，而且是一个中国人**。”（《且介亭杂文末编·答徐懋庸并关于抗日统一战线》）自从“亚细亚勇士”的屠刀从东北一路杀进来以后，他向全中国警告民族危机迫使全国人民走到了生死存亡的分界线，他愤激地攻击亡国主义者，号召民族的团结：

……当“扬起火鞭”焚烧“斡罗斯”将要开头的时候，就像拔都那时的结局一样，朝鲜人乱杀中国人，日本人“张大吃人的血口”，吞了东三省了。莫非他们因为未受傅彦长先生的薰陶，不知“团结的力量之重要”，竟将中国的“勇士们”也看成菲洲的阿拉伯人了吗？（《二心集·民族主义文学的任务和运命》）

正当全国人民在“亚细亚的勇士”的刀光剑影中挣扎于死亡线上的时候，“先安内然后攘外”的沉浊空气在窒塞民族的呼吸，一方面是“诱敌深入”,“缩短防线”的对外“战略”，另一方面是“虽流血亦所不辞”的对内政策（《伪自由书·战略关系》）。鲁迅的反民族失败主义的斗争，在这时就具体化而为反不抵抗主义，反安内第一主义的斗争。他说：

倘使日本人不再攻榆关，天下是太平了的，“必先安内而后可以攘外”。但可恨的是外患来得太快一点，太繁一点，日本人太不为中

国诸公设想之故也。(《南腔北调集·论“赴难”和“逃难”》)

事实很快证明了他的预见。“岳飞式的奉旨不抵抗的忠，听命国联爷爷的孝……诱敌深入的和平”(《南腔北调集·真假堂吉诃德》)给予“亚细亚勇士”“深入”以无比的便利。从此以后，“亲善”、“提携”的老调子又弥漫于东亚，鲁迅是忧惧这“亲善”、“提携”发展下去的悲惨后果的：“不久之后，恐怕那亲善的程度，竟会到在我们中国，认为排日即国贼——因为据说是共产党利用了排日的口号，使中国灭亡的缘故——而到处的断头台上，都闪烁太阳的圆圈的罢。”(《且介亭杂文末编·我要骗人》)他不及看见中国神圣的民族革命起来，就逝世了，这不只是他个人的遗憾。然而，他的远虑并非过虑。他深知民族失败主义的老病根潜伏在某一群“君子”的内心太深，一到民族遭到挫败，“那些君子们，不是像白鹤的腾空，就如猢狲的上树，‘树倒猢狲散’，**另外还有树**，他们决不会吃苦。剩在地下的，便是小民的蝼蚁和泥沙，要践踏杀戮都可以……”(《南腔北调集·沙》）在这样的“君子为猿鹤，小人为虫沙”（语出《抱朴子》，鲁迅在这里把这两句话加以新的解释）的两极化中，用“排日即国贼”的罪名加在“虫沙”似的“小民”头上，自然是“名正言顺”的。而不幸，鲁迅在民族革命战争前夜所说的这些话，已经成为部分的被证实的预言了。但其实，这也没有什么不幸，猿鹤的“上树”和“腾空”，岂但对中国没有丝毫损失，而且越发澄清了中国的民族阵线；没有猿鹤，就不能反衬虫沙的团结力伟大。小民虽如“虫沙”，但决非“散沙”（《沙》），因为“小民知道关于本身利害时，何尝不会团结”（《沙》）。正是根据了这个确信，鲁迅拥护了并号召了民族统一战线：

> 目前的革命的政党向全国人民所提出的抗日统一战线的政策，我是看见的，我是拥护的，我无条件地加入这战线，那理由就是因为我不但是一个作家，而且是一个中国人，所以这政策，在我认为非常正确的。（《且介亭杂文末编·答徐懋庸并关于抗日统一战线》）

他在很早就昭示“联合战线是以有共同目的为必要条件的”(《二心集·对于左翼作家联盟的意见》),不过先前的联合战线“目的都在工农大众”(同上),而现时的统一战线目的却在民族生存,“因为现在中国最大的问题,人人所共的问题,是民族生存的问题,所以一切生活都与这问题有关……而中国的唯一的出路,是全国一致的对日的民族革命战争”(《且介亭杂文附编·论现在我们的文学运动》)。“因此,抗日人民统一战线是比法国的人民阵线还要广泛得多”(《答徐懋庸并关于民族统一战线》)。“在抗日战线上,是任何抗日力量都应当欢迎的”(同上)。这样,他就坚持民族革命的统一战线政策,反对一切破坏统一战线的企图。

然而,鲁迅的民族主义和他的阶级论完全是一元的(参见冯雪峰作《一种误会》),他的国际主义和社会主义非常明确地贯串在他的思想与艺术中,因此断然反对了那些借口“民族立场”而进攻国际与国内的劳苦大众的反动家伙。他在攻击“民族文学”时,曾经这样表白了自己的阶级立场:

> 作为这武器而出现的，是所谓“民族文学”。他们研究了世界上各人种的脸色，决定了脸色一致的人种，就得取同一的行为，所以黄色的无产阶级，不该和黄色的有产阶级斗争。(《且介亭杂文·中国文坛上的鬼魅》)

他的坚定的阶级立场，就在强调民族统一战线的时期，也没有丝毫动摇过，他不曾叫民族团结的热潮冲昏了自己的头脑。他大声警告一切拥护抗战的人们：“用笔和舌，将沦为异族的奴隶之苦告诉大家，自然是不错的，但要十分小心，**不可使大家得出这样的结论：‘那么，到底还不如我们似的做自己人的奴隶好。**’”(《且介亭杂文附集·半夏小集》)他深刻指出：民族统一战线“决非停止了历来的反对法西斯主义，反对一切反动者的血的斗争，而是将这斗争更深入，更扩大，更实际，更细微曲折，将斗争具体化到抗日反汉奸的斗争，将一切斗争汇合到抗日反汉奸斗争这总流里去，决非文学放弃它的阶级的领导的责任，而是将它的责任更加重，更放大，重到和大到，要使全民族，不分阶级和党派，一致去对外。这个**民族的立场，才真是阶级的立场**”（《且介亭杂文附录 · 论现在我们的文学运动》）。**正因为他坚持着民族立场与阶级立场一致的主张**，所以他猛烈反对借口“国难期间，共体时艰”，对劳苦大众实行“有理的压迫”（《伪自由书 · 从盛宣怀说到有理的压迫》），警告爱国民众时刻提防有可能化为“猿鹤”的“君子”把自己出卖，暗示被压迫民众要分辨清楚，迫害他们的，究竟还是长毛之类的“流寇”，还是“短毛”、“花绿头”之类的王军（见《且介亭杂文 · 病后杂谈之余》第三节）。而在另一方面，斥责了那些“有背于中国人现在为人道德”替“亚细亚勇士”清道的“高超的理论家”（见《且介亭杂文附编 · 答托洛斯基派的信》）。

而且，在坚持抗日民族革命战斗的时候，鲁迅也并未忘记他的国际主义立场。他明确宣示，中国人民的反对东亚帝国主义，并非仇视一切日本人，“日本和中国的人民之间，是一定会有互相了解的时候的”（《且介亭杂文 · 活中国的姿态》序）。但自然，在被压迫的中国民族没有争得自由解放之前，和压迫民族决谈不到“亲善”与“提携”，因为“现在还不是这样的时候”（同上）。

民族主义和国际主义是这样生动地互相渗透在他的每一个政治思想细胞中。

如前所说，鲁迅的倾向国际主义和他过去反国粹主义的斗争有直接的联系。在这里，我们要研究，民族主义与国际主义的统一性是如何表现在他的文化思想中。

鲁迅是最早坚决主张吸收外国文化来救治中国民族的精神败血病的。在他开始输入欧洲文化的时候，他已经具有民族主义的热烈倾向。他最初介绍西洋文学，即以被压迫民族的文学为主，这因为中国民族的命运，和那些被压迫民族相似，中国民族要争得自由，不得不引别的谋自由的弱小民族为同调。在论及介绍波兰文学时，鲁迅就曾自白过："'绍介波兰诗人'，还在三十年前，始于我的《摩罗诗力说》。那时满清宰华，汉民受制，中国境遇，颇类波兰，读其诗歌，即易于心心相印，不但无事大之意，也不存献媚之心。"（《且介亭杂文二集·"题未定"草》）诚然，在当时，他的民族主义锋芒，主要还是对准满清压迫者，但他已经看到了，中国民族应当觅求别国的新声来鼓起战斗的热情，反抗民族的压迫。他在《域外小说集》的序言中说："……异域文术新宗，由此始入华土。使有士卓特，不为常俗所囿，必将犁然有当有心，按**邦国时期**，籀**读其心声**，以**相度神思之所在**。”就可见他的介绍外国文学，不但单纯出发于艺术的要求。到了“五四”时代，鲁迅高举了反国粹的旗帜，也是主要着眼于民族的生存。“保存我们，的确是第一义。只要问他有无保存我们的力量，不管他是否国粹。”(《热风》) 所谓国粹，是否能保存我们呢？鲁迅的回答是否定的。此后，他的打击国粹派的战斗，构成了他的民族自我批判重要的一部分。从民族的生存出发，他反对复古，反对倒退，“因为古国的灭亡，就因为大部分的组织被太多的古习惯教养得硬化了，不再能够转移，来适应新环境”(《华盖集 · 十四年的读经》)。他希望用外来的新文化来洗刷尘封的旧中国，甚至希望“真有良心”的外国人“替我们诅咒中国的现状”(《坟·灯下漫笔》)。然而，后来的事实告诉了他，帝国主义者是唯恐中国的民族组织不“硬化”。鲁迅慨然警告中国人，“他们对于中国人是毫不爱惜的，当然任凭你腐败下去。现在听说又有别国人在尊重中国的旧文化了，哪里是尊重呢？不过是利用。他们倘比我们更聪明，这时候，我们不但不能同化他们，**反要被他们利用我们的腐文化来活埋我们这腐败民族**”（《集外集·老调子已经唱完》）。显然，半殖民地的中国，不能被帝国主义所愚弄，为了救治民族硬化的危机，应当毫不迟疑地吸收外国文化的血液，因为“中国固有的文化咒不死帝国主义”（《南腔北调集·真假堂吉诃德》）。所谓吸收，不是不加择别胡乱地吞咽，而是批判地有系统地输入。在转变为阶级论者与国际主义者之后，鲁迅更坚强地主张中国应当大胆地取用外来的文化，但不能是被动地让别人“送来”，而必须主动地从外国文化仓库中“拿来”，这就是说，对于外来文化，“要运用脑髓，放出眼光，自己来拿！”（《且介亭杂文·拿来主义》）落后的中国，要按照自己的民族解放需要，批判地提取外国文化的精英，一面消除中国“固有文化”的毒质，一面培养中国新文化的根干，这就是“拿来主义”的本质。在这里，文化思想上的民族主义和国际主义的一致，非常鲜明地表现出来了。

鲁迅是外来文化的辛勤介绍者和有力鼓吹者，同时又是民族文化遗产的优秀继承者和杰出发扬者。他对于民族文化与国际文化的关系，有着最正确的理解。他一面鼓吹大量介绍外国文化，一面赞成采取民族形式，一面主张不怕“欧化”，一面又提倡“地方色彩”。事实上，他的全部作品，是溶化了世界进步的文化成果，而又保留了特有的民族风格。

如果说，鲁迅的国际主义和他的反对民族闭关主义有历史的联系，那么，他的民族主义就和他的尊重民族战斗传统有直接的联系。他的对于旧中国与腐败传统的憎恶和诅咒，并不丝毫减弱他的民族自尊心，反之，他是非常珍重历来中国民族的传统战斗精神的。他曾说，“明亡以后，一点土地也没有了，却还有窜身海外，志在恢复的人”（《华盖集·这回是“多数”的把戏》），显示了他对于民族先烈的敬意。在他到了厦门以后，看见郑成功所造的城堞遗迹，不禁慨然说：“一想到除了台湾，这厦门乃是满人入关以后，我们中国的最后亡的地方，委实觉得可悲可喜。”（《华盖集续编》）他痛恨满清政府，除了是因为它用苛政压迫汉人外，还因为它毁灭汉人的民族自尊心，他指出，满人的任意删改汉籍，其目的在于“使天下士子阅读，永不会觉得我们中国的作者里面，也曾经有过很有些有骨气的人”（《且介亭杂文·病后杂谈之余》）。在坚持民族解放斗争的过程中，提高民族的自信力与自尊心，正是发扬民族革命精神最必要的任务。鲁迅正是从各方面执行这个任务的爱国者。当少数软骨虫在那里高呼中国人民失掉了民族自信力的时候，他提出了有力的反驳：

> 我们从古以来，就有埋头苦干的人，有拼命硬干的人，有为民请命的人，有舍身求法的人，……虽是等于为帝王将相作家谱的所谓“正史”，也往往掩不住他们的光辉，这就是中国的脊梁。
>
> 这一类的人们，就是现在也何尝少呢？他们有确信，不自欺；他们在前仆后继的战斗，不过一面总在被摧残，被抹杀，消灭于黑暗中，不能为大家所知道罢了。说中国人失掉了自信力，用以指一部分人则可，倘若加于全体，那简直是诬蔑。（《且介亭杂文·中国人失掉自信力了吗？》）

然而在另一方面，那些民族软骨虫是真的失掉了民族自信力的，他们向王道的宣扬者献策说道："日本只有一个方法可以征服中国，即悬崖勒马，彻底停止侵略中国，**反过来征服中国民族的心**。"这分明是"攻心为上"的战略，而鲁迅指出这是"出卖灵魂的唯一秘诀"（《伪自由书》）。民族软骨虫所渴望的，是侵略者用真正的"王道"来代替"霸道"，但他们不知道：在历史上，"……王道看去虽然好像是和霸道对立的东西，其实乃是兄弟，这之前和之后，一定要有霸道跑来的"（《且介亭·关于中国的两三件事》）。如果从奴隶立场看来，在侵略者实行"王道"的时候，不过是"暂时做稳了奴隶的时代"（《坟·灯下漫笔》），而当"霸道跑来"的时候，不过是"想做奴隶而不得的时代"（同上）。然而，"暂时做稳了奴隶的时代"是不会到来了，于是奴隶悲哀了，因为他们所渴望的"征服中国民族的心"的"王道"是给"顽民""弄得毫无根据了"。鲁迅确凿指出，中国民族的心是断然征服不了的，即使"中国也有过讴歌了元和清的人们，但那是感谢火神之类，并非连心也全被征服了的证据"（《关于中国的两三件事》）。任凭王道宣扬者如何卖力，可是，他至多是少数中国软骨虫见了害怕的火神，在今天，中国人民不是处于元、清之际，他们用不到感谢火神，更不会被王道所愚弄。

但是，鲁迅认为民族的自尊心与自信力是要用民族战斗来培养的，因此，他不仅厌恶活得最舒服最横暴的汉奸，而且也反对活得最清高的“逸民”（《半夏小集》）。

附录　思想家的鲁迅

前记

这篇《思想家的鲁迅》，写于一九三八年。那时留在上海孤岛上的文化孤军组织了好些教育自己、整肃队伍的座谈会，其中之一就是学术性兼时事性的未名座谈会，我也忝列座末。这年十月中旬，在陈公馆开会，适逢鲁迅先生逝世两周年祭。由我提议，选定了“关于鲁迅思想的研究”这个题目，作了将近三小时的讨论，发言人记得有：许广平、罗稷南、胡曲园、陈珪如、吴清友、蓝天宇、樊英、何封、潘蕙田、郭箴一、孙冶方、王绍文、吴大琨、旅冈、平心诸人，虽然当时无人记录，没有留下一点文字痕迹，但那一回大家交换意见的恳切与热烈的景象，至今犹历历如在目前。当天下晚，大家谬举我执笔写一篇专论，而且并不约束我取材于座谈的论旨，由我自由发抒意见。我硬起头皮，穷一星期之力，——最后两天因为要赶上刊期，连开了两晚夜车，草成这篇《论鲁迅的思想》约五万字，交王任叔兄主编的《民族公论》发表。这位巴人老兄并不厌篇幅太长，毫无删节地将全文一次刊完。他的大刀阔斧的爽快作风，至今犹令我感叹不已。后来他撰述《论鲁迅的杂文》一书，复承他不弃，引用其中二三节不成熟的鄙见，发为宏论，对于我简直是空谷足音。我分明记得，在草写论文时，我将《鲁迅全集》温习了一遍，有如伐木童子携荷斧斤深入无边山林；但见林樾参天，浓荫扑地；真是乔木万千，砍伐不暇；奇葩蔽日，采撷不胜。我时而掩卷大笑，时而搁笔啜泣。钝拙如我，尚且如此歆动于迅翁如椽之笔，敏感之士读完这一代文豪的力作，怎能不肃然起敬，瞿然动容呢？说老实话，这篇拙文与其说是为了公诸读者而撰述，毋宁说是为了自己的欣赏与学习而写成。静夜理稿，想起当年一同参加座谈会的好友云散各地，音问鲜通；而任叔兄又衍教异域，海天遥隔，连一个小小的座谈会和《民族公论》一类的刊物也恢复不起来！怅怅之怀，又岂是重读旧作的喜慰之情所能排遣！

平心记于一九四六年初寒之夜

第一节　怎样研究鲁迅思想的发展

正像鲁迅自己所用的笔名特别众多一样，由各方面和各种人加给他的恶谥与嘉名也格外来得多。“学匪”、“学棍”、“堕落文人”、“反动文人”、“封建余孽”、“毒笔文人”、“文坛贰臣”、“没落者”、“杂感专家”、“买办”、“虚无主义者”、“刀笔吏”、“世故老人”、“思想权威者”、“中国思想的权威”、“青年叛徒的首领”、“革命文豪”、“旧社会的叛徒”、“新文学的开山”、“民族革命的象征”、“民族导师”、“伟大的革命斗士”、“伟大的民族射击手”、“第一个人民”、“中国的高尔基”、“新中国的圣人”，……所有这许多表示毁誉褒贬的不同称呼，对于鲁迅本来不能丝毫减损或增益他的伟大。然而当它们从不同的嘴巴里喊出来，或者从不同的笔下写出来的时候，其中的任何一个其实都代表一定人群对于鲁迅的看法，并且多少是带有一定的社会意义的。对一个时代巨人的咒诅嘲骂，或颂扬喝彩，不论它们是从那一方面发出来，也不论其发出时的动机怎样，决不能简单看作一种私的感情冲动。“每个人也依照自己的见地而行事”，这是二十年前列宁遇刺后对高尔基说过的话。实际上，每个人都依照自己的见地而发声。当战士的正义枪尖刺痛了某一群人不可告人的疮疤的时候，被刺中的人倘使不是由刺痛引起了他的觉悟，大抵是要用轻蔑恶骂来表示他和他所属的一群人的“见地”的（自然，其中由于对战士的认识不足，以“左倾”幼稚病的眼光表示轻蔑的也不少）。在相反的一面，凡是愿意正视现实，不怕和正义的战斗见面的人，看到一位模范的战士勇敢善战，领导大家向前冲杀，在他战死的前后，也不由不从心坎里涌起赞美和感激的呼声，来表示和上面恰恰相反的“见地”。就在各种不同的“见地”交相斗争之中，于是对准这位力战到死的斗士，一方面有粪污沙泥纷纷投掷，另一方面也有鲜花彩纸飘飘飞来。

在鲁迅还活着的时候，他在一般人的眼睛里，好像还是一个极大的谜。就算承认他是一个谜吧，这个谜其实也像清水一样明澈，使人容易见底。然而问题是，这个伟大的谜对于现世界的粪秽和烂疮表现了强烈的讽刺味道，使得许多逐臭嗜痂的正人君子、绅士淑女由头痛而勾起羞愤，于是带着恨心怀着恶意瞎猜乱拟，仿佛一群碰着窗上玻璃乱飞乱撞的苍蝇，在透射进来的亮光面前嗡嗡一阵，而始终不知道亮光是什么回事。两年前的今天，鲁迅给结核菌夺去了他的生命，于是伟大的谜底揭举在大众面前了；作成这个谜底的，除了鲁迅自己的人格、战绩和思想的总结外，还有大众对他一致发出的叹息和流出的眼泪。于是鲁迅的崇高伟大在许多人的眼睛里比以前清楚得多了，为更多的人所承认所赞叹了；虽然仍旧有一部分人在那里想打翻谜底，继续他们的“嗡嗡”。

“谜底”虽然公布了，然而关于构成这个谜底的主要因素——**鲁迅的思想**还是值得大家研究的。不了解这个巨人的思想，就无法了解他的艺术，也就无法了解他给予时代的影响和他在历史上的地位。

鲁迅是以民族号手兼民族代言人的雄姿出现在中国

的现代史上的。他的光芒四射的思想照耀在落后的中国，不但使他当得起列维它夫加给易卜生的评语，是一个“伟大的疑问号”（？），同时也当得起列维它夫加给萧伯纳的评语，是一个“伟大的感叹号”（！）。自然，“伟大的疑问号”和“伟大的感叹号”结合在鲁迅的思想中决不是偶然的事，也不能简单拿鲁迅的天才和修养来说明的。长期过着奴隶生活的中国人民大众，在现代历史变动的悲喜剧中，眼前碰到无数可悲可笑的矛盾，心头怀着无数不可解答的疑问，他们悲痛、忿恨、忧郁、绝望、彷徨、挣扎、呻吟、啼号。整个民族喘息在惨苦和颓唐的气氛中，像一头拴在潮湿而黑暗的牛栏里忍受着蚊虻环攻的老牛，顺应着历史的需要，于是出现了一位奇特的天才，他发见了许多为一般人所忽视的古老民族和腐旧社会的病症，找到了许多为别人所看不清的现实世界里的矛盾，提出了许多触及民族命运和大众生活的问题。他仅仅是把这许多病症、矛盾和问题用他的笔描写一下就满足了吗？不！他要诊断病症的真相和症结，要追究矛盾的来历和实质，要找出问题的基因和要点。于是通过他的笔尖和喉舌，有着最明确的关于民族病与社会病的暴露，有着最生动的关于现实矛盾的揭穿，同时也有着最切实的关于大众切身问题的解答。还在他没有接近最新的关于历史观与社会观的科学理论以前，他早就在自己的作品中表现了历史进展和社会斗争的真理，把握了许多现实问题和社会现象的本质，预见了各种社会变动和政治变动的趋势，指示了不少有利于社会变革和民族改造的实践方针，同时并运用了一种与唯物辩证法相近的思辨方法。这时候他算得是一个**自发的**走向革命走向科学的世界观的出色思想家。在他自觉地运用了最新的真理武器之后，他的思想就更结实有力地驰驱于艺术、人生和政治的战场。当我们考察鲁迅的思想发展过程的时候，不难看出，他的发掘真理的能力与方法并不完全得自书本，而主要地是从生动而丰富的现实中得来，是在勇猛不息的战斗与深沉无比的体验中得来的。靠着他锐利的洞察一切的眼力，靠着他所吸收的最优秀的中外文化传统，这位天才是把他所接触到的周围的多种现象，把现实的每一面，把各种人物与社会心理的典型，把各式各样的群众的生活与意识，把表现在历史舞台上的悲剧和喜剧，都观察得最真切，而又最深刻。他的头脑像一个巨大的分金炉，一切现象、人物和事情经过这分金炉，都各自显出了它们的本体。他决不笼统地模糊地观察任何事物，他是把客观的真实当做有统一性的然而又有千差万别的对象看待。不但如此，他的大部分的作品和言论都是经过不断的斗争产生出来，发表出来的，因此没有空洞的议论，更没有脱离实际玩弄教条的臭味。这样，就使他的思想呈现了好些优异之点，那便是具体、深彻、绵密、生动而又富有实践性。

鲁迅表现自己的思想，有好些值得注意的特殊方式，不了解他的特殊的思维表现方法，就很难认识他的思想全部。

鲁迅跟一般的理论家和政论家不同，他并不写纯理论的社会论文和政治论文，也绝少正式提出自己的社会改造方案和民族革命主张。正因为如此，就使许多人忽视了他表现在各方面的思想的价值，不能把他作为一个思想家和政论家来了解。实际上，在鲁迅的全部作品言论中，包含了最丰富最生动的关于社会、人生、历史、政治与艺术各部门的剖解、批判与理论。他不仅发挥了先驱者的最进步的理论与思想，而且显示了许多他自己特有的创见与预见。他是最有胆力和最有眼力的能够跳出“时代限制”的思想斗士。但是作为思想斗士的鲁迅，一开始就是披上艺术斗士的铠甲驰骋在思想战场的。他是用艺术的手腕巧妙地表现足以代表社会进步势力的各种观念和理想，是常以形象化的方法传达他对于民族对于社会的批判、希望和预言。不仅在他的纯文艺作品——小说、诗歌中，他运用了极熟练的形象描写法来表现自己的思想，就是在他的小品文或杂感文中，他的思想也常是通过形象化的方法来接触读者。例如《春末闲谈》(《坟 · 全集》第一卷）是他在大革命前夜写的一篇攻击封建军阀官僚及其走狗的政治杂感；但他并没有一开始就说出一篇大道理，只是先从一个昆虫界的故事谈起，随后才针对军阀官僚和所谓“特别知识阶级”来一通辛辣的讽刺。在这讽刺里面，他揭露了一个不可磨灭的历史真理，即“治人者”无法消灭“治于人者”的反叛，就因为大众的思想是无法除掉的。至于在鲁迅的小说诗歌中，他的通过具体的形象和典型表现出来的社会思想与政治思想，实在太丰富了。

鲁迅不但善于运用一般的形象化手法来发表自己的

思想，而且惯于用一种特殊的形象化方法——讽喻法（Allegory）来传达自己的意思。这是因为他经常处在一种不自由的恶劣环境中，不能不使用巧妙的战术来曲折地打击敌人。他有许多作品通篇不直白题旨，却用寓言或象征来隐藏自己所要说的话，只是给读者以有力的暗示，让读者自己去体会。例如《论雷峰塔的倒掉》(《坟》)一篇小品文表面上好像是“闲话”雷峰塔的神怪故事，骨子里却在于暗示大众，反动的统治者无论怎样禁压人民的自由，他的“反动冰山”终有一天要崩溃的，那时候他就不能不像法海和尚一样逃到蟹壳里去避祸。收集在故事新编里的文字差不多全是假托中国历代的神话和传说来讽刺现代各色各样可憎的人物和怪象。《阿 Q 正传》许多人都承认是鲁迅暴露农民的愚昧和豪绅的恶毒的小说，但它同时也包含了一种寓言的意味，即通过阿 Q 等的形象来讽刺国民性的弱点（记得茅盾先生曾在一篇文字里指出这一点。鲁迅先生在《再谈保留》的一篇杂感中似乎也承认的）。此外的例子还很多，这里不能细举。

从鲁迅的杂感文里，可以看出他通过人物的批评来揭发社会和民族的弱点、病态和各种的黑暗面。何凝（瞿秋白）说鲁迅所攻击的人物的姓名“简直可以当做普通名词读，就是认做社会上的某种典型”，大抵是不错的。对于鲁迅的杂感文，不从社会的战斗意义上去认识，而专从私人的恩怨好恶去猜想，去“索隐”，那必然要歪曲要涂污鲁迅的思想。

鲁迅的作品特别是讽刺文每每爱用反语（Irony）来表现自己的见解。这也是为了应付客观环境所不得不使用的一种战术，不过同时也是要加强一种修辞上的讽刺力量。例如，在《聪明人和傻子和奴才》一篇讽刺文里，“爱昂理”的气味就特别浓重。

记得有一位名叫叶公超的教授曾经抓住了《而已集》里面的一段“反语”，就当做鲁迅倾向自私自利的“内倾的个人主义”的铁证。这位教授是够聪明的。

最后，鲁迅不但善于用自己的言语来发表思想，而且也经常用外国人的言语，即是用翻译来表示自己的意见。例如一九二一年所译阿志巴绥夫（Michael Artsibashev）的《工人绥惠略夫》（*The Workingman Shevyrev*）相当可以表露鲁迅的反抗思想。不过绥惠略夫式的反抗还只是个人的，虚无主义的，并非集团的，革命的。到了后来，鲁迅对于这样的一种战斗观已经觉察到不怎么正确了，据说他曾表示让这本译书绝版。从一九二九年以后，他译了许多关于革命艺术与新兴文学的名著与论文，此时他的集团主义战斗思想是借外国理论书与小说的翻译表现着的。至于他早年与周作人合译的域外小说，所选多为被压迫民族的小说家的作品，可以想见他那时颇带有民族主义的思想。从鲁迅的翻译中，可以找到他的思想发展的线索，是很值得注意的。但也不可看得太机械，以为每一部书的翻译都可以恰当地表征他的思想。

第二节　从清末直到大革命以前的鲁迅思想

一切不朽文豪大概在历史上都尽着时代镜子和社会镜子的作用。鲁迅就是中国民族的一面伟大镜子。凡为他的艺术语言所震撼的人，大约都会承认，他的作品和思想是明澈地照透了中国民族的状貌和精神，反映了中国民族生活的蜕变和发展。从保留着的鲁迅言语里面，我们可以感奋地看到中国民族的受难、被侮、患病、挣扎、苦斗，可以亲切地听到中国人民大众的呻吟、诅咒、啼号、呐喊、怒吼。旧中国向新中国转变的每一阶段都在鲁迅的作品中印下了不可磨灭的痕迹。然而作为民族镜子的鲁迅，并非把民族生活变化的影子平面地映现出来就算了，他始终是取着批判的态度来透视和评价一切，始终是代表着民族与社会的生机来和民族与社会的死气不断斗争。他的批判和斗争恰恰是跟中国社会政治与文化的发展和斗争合拍的。他的思想诚然是时代不断进展的产物，但是他也常常能动的用思想去影响群众，照耀社会，唤起民族的自觉，改变陈腐的风气。他实在是旧民族生活的批判者，新民族风气的创造者。

但是，鲁迅不是超时代的怪物，他的思想发展是反映现代历史——特别是中国现代史的转变与进展。这个不仅为外力发展过速所苦，而且为自己发展不足所苦的老大中国在最近半个多世纪中，并非像死水一般停滞不动，她经历了许多次大小的风暴和巨变；其间有僵尸的复活，有大众的受难，有屠户的施暴，有奴隶的苦斗和失败，有革命的起伏和变化，种种复杂纷纭的历史景象在鲁迅是观察得太熟悉了，迫使他不得不思索，又不得不把他的批判、透视、意境和希望通过笔尖传达于群众中，而所有这些都是作为他突击旧中国的武器而结晶为文字的，这便是鲁迅写作的由来。

正因为鲁迅思想是社会发展、历史转变的反映，所以必须拿半个多世纪以来的历史来说明鲁迅思想的源流与发展。

粗略地划分起来，鲁迅思想的发展大概是经过如下几个重要阶段的：

第一期，约从他的求学时代到“五四”以前；

第二期，约从“五四”时代到大革命前后；

第三期，约从大革命失败后到病死之前。

以下我们就依照时代的顺序来考察他的思想发展过程，以及发展的每一个阶段所表现出来的特点。

鲁迅的幼年和青年正值十九世纪的末期，那时正是外洋资本主义的急潮深入中国，中国旧社会急遽趋于崩溃的时代。商业资本不能迅速蜕化为独立的民族资本主义，而残破的封建主义堤防又阻碍着中国社会进展到近代化的道路。整个民族窒息在一种“世纪末”的焦躁与苦闷中。市侩化的官僚士大夫们逐渐意识到有变法图强的必要。然而由于中国社会条件的限制，使他们并不能摆脱骸骨的迷恋。他们只是主张用枪炮与工艺（即是后来所谓“物质文明”）来达到富国强兵的目的。李鸿章、张之洞等所提倡的“洋务”便是这一时期官绅的中心运动。接着中国初期的启蒙运动已露出曙光了。适应着当时洋务运动的需要，在上海、北京、南京等地勃兴了输入泰西科学的风气，半政治性的学术团体，如广学会、强学会、桂学会等先后成立了启蒙运动的领导组织。这时提倡洋务输入新学还是以“中学为体，西学为用”做中心口号。一八九八年突发的“戊戌政变”是紧接甲午战争失败后的政治维新运动，这运动虽然在很短期间就流产了，但它在中国现代史是有着重大的社会文化意义的。戊戌政变暴露了中国社会的内在矛盾，同时也加剧了国内的文化斗争与思想斗争。接近于近代资产阶级思想的康、梁、谭等成了这一时期启蒙运动的领导人物，他们代表一部分比较开明的知识分子。然而戊戌政变失败以后的康、梁（谭嗣同已牺牲于政变中）并不能领导当时的改革运动。唯有孙中山先生所领导的兴中会，才相当担负起了民主革命的任务，和妥协的保皇党（以康有为为首领）作猛烈的斗争。这样，初期的启蒙运动才转入一个新的阶段，和革命的民主运动结合起来，成为反封建反专制主义的洪流。

鲁迅因为出生较迟，自然不是初期的启蒙运动和民主运动的领导人物。然而他在青年时代已经深深地受了这两大运动的影响，是毫无疑问的。他出生在一个正在没落中的士宦家庭，照例一个破落了的读书人家子弟在当时只有两条路走，即做幕友或商人。但是青年的鲁迅却不愿走上这两条老路。强烈的求知欲使他“想走异路”，即是去学洋务。他的母亲哭了，“因为那时读书应试是正路，所谓学洋务，社会上便以为是走投无路的人，只得将灵魂出卖给鬼子”（《呐喊》序，《全集》卷一），这实在足以代表当时一般的社会心理。此后是鲁迅开始接受科学知识的时期。他最初是学开矿，由此不但学到了一些关于数理化、地质学和矿物学的知识，并且接触了由“新党”编译的许多新书报，进化论（天演论）给予他的影响特别深巨。从当时鲁迅的求知活动中，可以想见初期的启蒙运动是使他日益走上思想革命道路的主要推动力量；没有这次启蒙运动，也许鲁迅就不会成为“五四”启蒙运动的主导人物。

初期的启蒙运动使鲁迅发生了维新思想，他到日本去学医，就是希望借他所学到的医学知识“促进国人对于维新的信仰”(《呐喊》序)。然而他后来因为有一次在电影上看到一个中国同胞被日人杀头示众，而左右围绕着许多麻木的看热闹的中国人，使他省悟到“凡是愚弱的国民，即使体格如何健全，如何茁壮，也只能做毫无意义的材料和看客，病死多少是不必以为不幸的”(《呐喊》序)。于是他决定转向文艺了，因为他认为唯有文艺善于改变国民精神。其实，早在他开始写作的时候，他对于文艺已有相当兴趣。从一九〇三年为《浙江潮》译述的《斯巴达之魂》一篇小说里，就可看出他的文艺修养。这篇小说是颂扬弱者的战斗来唤起“国魂”的。不过到了一九〇六年他才决定放弃学医，走上文艺的道路了。这时候，他对于科学和文艺的造诣都相当深，他主张用科学来振兴邦国，用文艺来改善民族。一九〇七年他为《河南杂志》撰文，介绍了新的自然科学知识（在此以前他曾为《浙江潮》撰《说铂》一文，介绍了新的化学知识),《如人之历史》是一篇阐明生物进化论与人类起源论的,《科学史教篇》是叙论自然科学发达史的。在后一篇文章的结尾，指出提倡科学不应妨害文艺的发展，把莎士比亚(Wil - liam Shakespeare，原文译作狭士丕尔)、拉斐尔(Raphael=Raffaello，原文译作洛非罗)、悲多芬(Ludwig van Beethoven，原文译作培得苛芬)、喀莱尔(Thomas Carlyle，原文译作嘉来勒)和牛顿(Isaac Newton)、波尔(Kobert Boyle，原文译作波义耳)、康德(Immanuel Kant)、达尔文(Charles Robort Darwin)一视同仁，可见他主张科学与文艺并重。

这时候鲁迅思想的锋芒是对准着当时流行于士大夫之间的庸俗而浅薄的清议政论。洋务运动者在高唱“振兵兴业”论，但他们又不愿抛弃“国粹”的骸骨，依然脱不了“中体西用”的窠臼。鲁迅讥笑他们“倒果为因”，“唯枝叶是求”(《科学史教篇·坟》)。他虽不反对“振兵兴业”，但认为不重视科学研究，发扬科学精神，一切富国强兵的高调都只有完全落空。当时阻碍科学发展的，实际上，就是不彻底的“中体西用”论，浅薄的“振兵兴业”论，和庸俗的卫道崇儒精神。

在未出国之前，鲁迅的思想是颇受了“新党”的影响的。等他回国后，国内思想界，除却一部分投身于民主革命的分子外，多数是匍伏于统治者跟前讴歌说梦；主张维新变法者有的是倾向粗俗的军国主义，动辄“竞言武事，……谓勾爪锯牙为国家首事”(《文化偏至论·坟》)；有的是标榜市侩的工商立国论，有的是高唱浮浅的立宪国会说，鲁迅非但不随从唱和，还抨击不遗余力。他揭破这些论客们无非是假力图富强之名，干禄致富，沽名钓誉。“竞言武事”者“干禄之色灼然见于外”固然不用说了。就是那些热心提倡“制造商估”者，其目的非“博志士之誉”，即预备享受亡国后“广有金资，大能温饱”的生活。至于侈言立宪国会者，大多数不过是“假是空名，遂其私欲，不愿见诸实事，将事权言议悉归奔走干进之徒，或至愚钝之富人，否亦善垄断之市侩”。他接着就慨然指出：“古之临民，一独夫也，由今之道，且顿变而为千万无赖之尤，民不堪命矣，于兴国何与也。”(以上引文均见《文化偏至论》)侯补武夫市侩政客们完全从自私自利的立场来高谈振兵修武、制造商估和立宪国会；流弊所至，不过是替中国造成了满坑满谷的残民军阀、亡国富翁和贪官污吏，这到了辛亥革命后不幸竟成了预言了。

这里必须指出，鲁迅当时并不反对“振兵兴业”（他在《科学史教篇》声明“非谓人必以科学为先务，始以振兵兴业也”），也并非要反对实施真正的民主政治。他所要攻击的，是假富国强兵之名来侈言武事实业而不注重“启发人智”的主张，是假借多数人名义来提倡立宪国会而不重视“个性解放”的论调，至于许多人徒托空名来达到自私自利的目的，那更是他所深恶痛绝的了。

当时鲁迅在思想上很受了尼采（Friedrich Wilhelm Nietzsche）的影响，就是重个性，非物质。尼采的超人学说在欧洲诚然是资产阶级压抑劳苦大众反对社会主义的一种精神武器，但是的确如瞿秋白所了解的，“鲁迅在当时的倾向尼采主义却反映着别一种社会关系”（《鲁迅杂感集》序言）。那时候中国的勤劳大众还没有成为自觉的决定政治命运的巨大力量。“大部分的市侩和守旧的庸众替统治阶级保守着奴才主义，的确是改变进取的障碍。为着要光明，为着要征服自然和旧社会的盲目力量，这种发展个性，思想自由，打破传统的呼声，客观上在当时还有相当的革命意义。”（见上引书）正因为大众在当时没有成为左右国家命运、决定政治趋势的斗争主力，那种假借多数名义的立宪国会主张，即使实现出来，也不过是替垂死的统治阶级撑腰，造成“民不堪命”的恶果。何况“立宪”原不过是清末统治者用以缓和民众反抗的一种烟幕。鲁迅提倡“个性解放”，攻击立宪国会之说，其目的就在于反抗压抑人智、闭塞性灵的奴才主义与守旧传统。至于鲁迅在当时“非物质”，决不是要提倡“精神文明”，恰恰相反，他是自始就反对陈腐的名教礼法，反对僵尸式的“国故”、“国粹”而主张发扬物质科学的；虽然，无可否认，他的思想在当时颇受了唯心论的影响。他所要非难的“物质”是一般功利主义的和军国主义的论客们所看重的“金铁”（二字见《全集》卷一，四一页），“金”就是金钱（黄金），铁就是兵器（黑铁）。他认为倘使不能启发民智，解放个性，即使中国有了多量的金钱财货和长枪大炮，也不过产生了一些只顾自己“广有资金，大能温饱”的富翁财阀，也不过造出了一批“干禄”残民的赳赳武夫，“于兴国究何与焉”。他揭橥了“掊物质而张灵明，任个人而排众议”的主张（《文化偏至论》），倘使仅作抽象的了解，很易误解他在当时是一个提倡“精神文明”重视个人私利的理论家，但把他的主张和当时的社会政治情境联系起来具体地加以考察，便不难明白，他的立论在客观上还是具有一定限度的进步意义的。只因为当时工农大众还没有成为社会政治舞台上的主角，只因为当时还没有正确的集团主义和科学的社会主义输入到东方来，使他不能不拿“重个性非物质”的尼采学说来作为斗争的武器。

虽然士大夫的一群在那里高唱变法维新，富国强兵，但笼罩全中国的，仍然是缺少反抗精神和进取精神的暮气。这使得一向痛愤民族麻木的鲁迅再也无法沉默了。他断然发出反抗喊声来排拒那种“顺世和乐之音”，提倡进取精神来击退那种“宁蜷伏堕落而恶进取”的死气，发扬进化思想来打破那种“无希望，无上征，无努力”、“不撄人心”返朴归真的幻梦（以上引语都见《全集》卷一，《坟》五九——六一页）。《摩罗诗力说》便是这时候针砭时病唤起民心的一篇辉煌有力的作品，比起他在四年前为《浙江潮》写的《斯巴达之魂》是更雄烈更明朗地宣扬了他的战斗思想。这篇论文虽然主要的内容是介绍西方富有反抗精神的诗人，但作者的着眼点分明是借外国诗人的战斗事迹和反叛思想来号召反抗与进取，打破向来麻痹人心乐天知命安分守己的奴才传统。他赞美撒但（佛语谓之“摩罗”），就因为撒但敢于反抗，敢于战斗。自然他所要颂扬的是“立意在反抗，指归在动作，而为世所不甚愉悦”（《摩罗诗力说》）的地上撒但，是“敢说，敢笑，敢哭，敢怒，敢骂，敢打，……击退可诅咒的时代”（《华盖集》）的人间摩罗。拜伦（George Gordon Byron，英国诗人，原文译作斐伦）、雪莱（Percy Bysshe Shelley，英国诗人）、普式庚（Aleksandr Sergyeevich Pushkin，俄国诗人）、莱尔芒托夫（Mikhail Yurevich Lermontov，俄国诗人）、密开威支（Adam Michiewicz，波兰诗人）、斯洛伐支齐（J. Slowacki，波兰诗人）、克拉旬斯基（S. Krasinski，波兰诗人）、斐多飞（Sandor Petofi，匈牙利诗人）。这一流的诗人正是这种撒但或摩罗的化身。鲁迅的意思并非要中国文人个个都变成像拜伦一类的诗人，他是要中国人民特别是有推动民族进步之责的知识分子学习拜伦他们的精神。

鲁迅生平最痛恨那种薄今尚古返朴归真的开倒车思想，他在后来写的一篇题名《风波》的小说中，就借九斤老太太爱说“真是一代不如一代”的老套话，来讽刺流行的复古的老调。在《摩罗诗力说》中，这种反对复古的见解，已经锋利地从他的思想剑鞘里闪耀出了：

> 故所谓古文明国者，悲凉之语耳，嘲讽之辞耳！中落之胄，故家荒矣，则喋喋语人，谓厥祖在时，其为智慧武怒者何似，尝有闳宇崇楼，珠玉犬马，尊显胜于凡人，有闻其言，孰不腾笑？夫国民发展，功虽有在于怀古，然其怀也，思理朗然，如鉴明镜，**时时上征，时时返顾，时时有光明之长途，时时念辉煌之旧有，**故其新者日新，而其古亦不死。若不知其所以然，漫夸耀以自悦，则长夜之始，即在斯时。(《坟·全集》卷一，五八页)

他讽刺那班以“怀古”为名而以“复古”为实的僵尸们是何等犀利，打击不肯“时时上征”不愿“有光明之长途”的守旧者是何等有力。但他还不以反面的讽刺为满足，他更用人群的历史进化真理指明初古社会并非如“隐逸”、“怀古”的人们所想象的那么真朴可爱，那么和平不争，因此希图遁世复古的思想显然是违反历史真理的：

> 吾中国爱智之士，独不与四方同，心神所注，辽远在于唐、虞，或径入初古，游于人兽杂居之世；谓其时万祸不作，人安其天，不如斯世之恶浊险危，无以生活。**其说照之人类进化史实，事正背驰**……故作此念者，为无上征，为无努力，……非自杀以从古人，将终其身更无可希冀经营，致人我于所仪之主的，束手浩叹，神质同隳焉而已。且更为忖度其言，又将见古之思士，决不以华土为可乐，如今人所张皇；唯自知良懦无可为，乃独图脱屣尘埃，倘恍古国，**任人群堕于虫兽，而己身以隐逸终。思士如是，社会善之，咸谓之高蹈之人**，而自云我虫兽我虫兽也。其不然者，乃立言辞，欲

致人同归于朴古。(《全集》卷一，六〇页)

当时许多儒士正中了老子学说的毒，鲁迅对于“不撄人心”、“无为之治”的思想攻击不遗余力，因为这种思想恰恰投合那批幻想逃避现实自命为“高蹈”的“逸民”、“隐士”，恰恰足以消灭中国人民反抗的进取的精神。他指出不论有人如何想把社会拉回初古状态，如何“自致槁木之心，立无为之治；以无为之为化社会”，争奈社会是不断向前进展的，争奈“星气既凝（案即指星云凝结为世界），人类既出而后，无时无物，不禀杀机，进化或可停，而生物不能返本”(《摩罗诗力说》)。从这里可以看出，他所受进化论影响是何等深刻。

鲁迅反对老子的“无为而治”的学说，原意就在于打击那种阻碍民族革命与人群进化的反动思想。

中国之治，理想在不撄，……有人撄人，或有人得撄者，为帝大禁，其意在保位，使子孙王千万世，无有底止，故性解（案即“天才”的最初译法）之出，必竭全力死之，有人撄我，

或有能撄人者，为民大禁。(《坟·全集》卷一，六一页)

这不明明是针对着反动的满清王朝而掷的投枪么？不是在猛烈攻击清政府屠杀陆皓东、史坚如、谭嗣同之类的天才禁压人民的思想自由么？

鲁迅出世后，外患相继而来，其间重要的，有一八八四年的中法战争。一八九四年的中日战争，一九〇〇年的八国联军攻入。鲁迅认为外侮之来，和民族麻木不仁萎靡不振的民族性有关。正因为民族缺少抵抗精神，阘茸无能，怯懦苟安，所以外患也就特别来得多。这种解说，自然并不十分正确，但在当时他揭发了中国民族的重要病态，的确是有针砭时弊的意义的。

……创痛少去，即复营营于治生，活身是图，不恤污下，**外仇又至，摧败继之。故不争之民，其遭遇战事，常较好争之民多，而畏死之民，其苓落伤亡，亦视强项敢死之民众。**(《全集》卷一，六三页)

因此提倡抗争精神在当时就成为十分必要。而要打破那种“活身是图，不恤污下”的苟安忍辱习气，又必须唤起民众的自觉。“自觉之声发，每响于人心，清晰昭明，不同凡响”（同上书五八页）。只有如此，民众才可以把民族国家的命运看做自己的命运，才不是“愚民政策”下的顺民奴才。结论自然是要争取人民的思想自由。

鲁迅号召反抗，立意在打脱人民大众的枷锁，粉碎一切阻碍进步的陈旧传统，“举一切伪饰陋习，悉与涤荡”，因此他赞成彻底的破坏，而反抗不过是达成破坏目的的手段：

> 世之嫉视破坏，加之恶名者，特见一偏而未得全体者尔。若为按其真状，则光明希望，实伏于中。恶物悉颠，于群何毒？（上引书卷一，八二页）

十年前鲁迅的前辈谭嗣同也曾吹响了“冲破网罗”的战号，也曾反对钳制民口、禁锢民心的专制，但他并末主张对旧传统作彻底的破坏，时代的推移使鲁迅比他的先驱者更进一步踏上了思想革命的道路。他所引为遗憾的是，一般人因为“染旧既深，辄以习惯之目光，观察一切，凡所然否，谬解为多，此所为呼维新既二十年，而新声迄不起于中国也”（上引书一〇〇页）。他最后慨叹：“今索诸中国，为精神界之战士者安在？”是的，当时精神界之战士是过于零落了，他不得不感到孤独寂寞，不由不用悲愤的眼光来观察当时的社会文化。

当时孙中山、章炳麟等所领导的民族革命运动已经震撼全国了。进步的青年都卷入在革命浪潮中。鲁迅在发表上述论文的次年（一九〇八年），即“从太炎先生（章炳麟）学”，并且加入了光复会（这是据许寿裳编的《鲁迅先生年谱》所说。但周作人在《宇宙风》发表的《关于鲁迅之二》否认鲁迅曾为光复会会员）。鲁迅从章太炎所受到的影响大约是很大的，看他后来写的《关于太炎先生的二三事》，可以想见章太炎鼓吹革命不屈不挠的精神与人格感动他的确很深。鲁迅那时候的政治思想，我们不能具体得知，但有一点是没有疑问的，就是他已接受了民族主义和民主革命的思想，他赞成太炎先生“和主张保皇的梁启超斗争”(《全集》卷六，五四八页)，“时常出入民族社（按：即章太炎所主办），所与往来者多是同盟会的人”（见《宇宙风》，周作人:《关于鲁迅之二》)。他在当时至少是已经成为一个“思想界的革命战士”——用他自己的话来说，就是“精神界之战士”了。

前面说过，鲁迅常用翻译来代表自己说话，从他当时和周作人合译的域外小说集所介绍的作品看来，他是主张反抗异族压制、颂扬民族主义的，因为选译被压迫民族（波兰、波思尼亚、芬兰、捷克、保加利亚等）的小说特别多，而俄国文学中凡有歌颂反抗者，都择要选入。这和他在五六年前译述《斯巴达之魂》是有相似的意义的。

辛亥革命前后鲁迅的写作很少，我们很难阐述他此时的思想；但间或也可以从他的著作鳞爪中，窥见他对于旧社会的攻击与讽刺是没有停止过的。如一九一二年写的《怀旧》(发表于《小说月报》)，就可以看出他的辛辣的讽刺作风。这篇作品是不能仅仅看做一篇幼年时代的回忆录的。

“五四”时代（这里是把一九一九年五月四日反日斗争前后所进行的文化革命运动都归入于“五四”时代）是中国政治、社会与文化、思想转入大变革的时代。中国民族资本在世界大战时期曾经一度呈现了繁荣，反映在社会、政治、思想各方面，就展开了要求变革要求斗争的民族自觉运动，具体地说，进步的知识分子在这时期所要求的，在政治上是实现民主主义，解除加于民族的外力束缚；在文化思想上，是要求打破“国故”、“礼教”、“伦常”、“迷信”的枷锁，实行语文和文学的革命。政治上的民主运动和文化上的启蒙运动汇合成为“五四”革命运动。实际上，不等到一九一九年五月四日殴打卖国贼、火烧赵家楼的悲壮剧揭幕，作为大革命前奏曲的第二次启蒙运动就已经开始奔腾。一九一六年以后，提倡文学革命、拥护民主（德谟克拉西）、科学（赛因斯）和反对国故礼教的春潮，已经由文化界的急先锋掀起来了。就在“五四”事件发生的前一年，沉默了一时的鲁迅全副武装地跃上了文化战场，作了反封建斗争和新启蒙运动的战士。一九一八年四月间在《新青年》上出现了《狂人日记》，这不但是中国新文学运动史上值得大书特书的事件，也是中国思想革命运动史上不可磨灭的丰碑。

《狂人日记》最锋锐地扑击了旧社会的烂腐传统和罪恶因袭。作者借一个“迫害狂”所见所闻的一切来暴露各种虚伪道德、名教礼法的罪恶：

> 古来时常吃人，我也还记得，可是不甚清楚。我翻开历史一查，这历史没有年代，歪歪斜斜的每页上都写着“仁义道德”几个字，我横竖睡不着，仔细看了半夜，才从字缝里看出字来，满本都写着两个字，是“吃人！”
>
> 四千年来时时吃人的地方，今天才明白，我也在其中混了多年。(《呐喊·狂人日记》)

中国是一个吃人的国度，“吃人的要被吃，被吃的又要吃人”，而追究造成这种吃人和被吃的惨剧的，就是“屠杀现在”的僵尸，一切虚伪道德和吃人礼教都伏在这僵尸身上。然而鲁迅看清了吃人的现象是不能永远存在的。他借着那个迫害狂的话来警告一切吃人者：“你们立刻改了，从真心改起！你们要晓得将来；是容不得吃人的人。”（《狂人日记》）他对未来的光明一点不怀疑，他认为吃人的历史总有一天要过去的，因此把未来的希望寄托在下代的人，“救救孩子”的呼声，就这样作了《狂人日记》的结尾了。

辛亥革命虽然把满清皇帝从王座上拉了下来，成立了“有民国之名无民国之实”（孙中山语）的共和国，但革命的火焰并不曾烧断封建势力的老根。反革命的僵尸们（代表封建社会层的军阀、官僚、政客，以及和他们结不解缘的买办遗老）不仅利用政治军事的阻力来挡住革命的车头，使中国无法向近代化的道路驶进，同时还利用精神的镣铐来桎梏人民的头脑，要把中国拖回到最野蛮最黑暗的状态去。他们竭力巩固腐烂得发臭的国故，美其名曰“保存国粹”，那些爱看僵尸打拳的守旧士大夫，更从旁助威，做了国粹主义的鼓乐队。到了“五四”前后，无拳无勇的进步知识分子既无法立刻颠覆僵尸的政治军事压力，实现德谟克拉西的政治理想，便不能不以全力和僵尸们所筑成的国故阵线斗争，去扫荡一切朽腐野蛮的有毒传统——礼教、旧道德和旧思想。

这时候，鲁迅不仅宣布了封建社会的罪恶，预告了吃人的僵尸必然有一天要倒下去，并且对国故阵线一开始就作白刃战，鼓起了大众挣脱精神镣铐的勇气。他把那些防守国故阵线的活木乃伊称做“现在的屠杀者”：

> 明明是现代人，吸着现代的空气，却偏要勒派朽腐的名教，僵死的言语，侮蔑尽现在，这都是“现在的屠杀者”。杀了“现在”，也便杀了将来，——将来是子孙的时代。(《热风·全集》卷二，七〇页)

僵尸们的维持朽腐的“国故”自然也有一套理论，他们说，我国有为别国所无的“国粹”，这正是一种可以夸示于人的光荣，故必须永久保存。“他们把国里的习惯制度抬得很高，赞美的了不得”(《热风 · 随感录》三十八)，但鲁迅驳得最痛快：

> 什么是“国粹？”照字面看来，必是一国独有，他国所无的事物了。换一句话，便是特

别的东西，但特别未必定好，何必应该保存。

譬如一个人，脸上长了一个瘤，额上肿出一个疮，的确是与众不同，显出他特别的样子，可以算是他的“粹”。然而据我看来，还不如将这“粹”割去了，同别人一样的好。

倘说，中国的国粹，特别而且好；但何以现在糟到如此情形，新派摇头，旧派也叹气。

（《热风·随感录》三十五页）

还在十年前（一九〇七年）鲁迅便喊出“国民精神之发扬，与世界识见之广博有所属”（《坟·摩罗诗力说》）。然而国故派却要在中国和世界之间筑起一道国粹主义的高墙，便是曾经高唱维新的人，有一部分，到了后来，也要“用学来的新，打出外来的新，关上大门，再来守旧”（《热风·随感录》四十八）。这许多国粹主义者说道：“我们要特别生长，不然，何以为中国人？”（《随感录》三十六）。“于是乎要从‘世界人’中挤出。”依照国粹派的路线活下去，必定要害得“中国人失去了世界”，但另一方面，中国人“却暂时仍要在这世界上住！”（引书同上）要生活在现世界，又要排拒现世界的进步力量，这就是国粹派所不能不造成的可悲矛盾。抓住了这个矛盾，鲁迅不但对国故派行了劈刺战术，还指示了：中国人要合理地健全地生活下去，只有毫无怜惜地抛弃国内的腐烂尸骸，呼吸世界的新鲜空气：

> ……即使所崇拜的仍然是新偶像，也总比中国陈旧的好。与其崇拜孔丘、关羽，还不如崇拜达尔文、易卜生；与其牺牲于瘟将军、五道神，还不如牺牲于 Apollo。（上书《随感录》四十六）

要攻破国故主义的堡垒，必须从各方面进行歼灭战。一切腐旧伦常、虚伪道德、名教礼法、宗法制度与僵死文学，在这时期都成了新文化运动者聚歼的对象，鲁迅在每一方面的作战都表现了特别英勇的战绩。他不仅在论文、杂感、演讲里对国粹派作了顽强的斗争，便是在小说里面，对国粹主义也作了深刻的讽刺，如《肥皂》、《孔乙己》、《高老夫子》等篇便是代表的例子。

他撕破各种封建道德的假面，揭穿吃人礼教的黑幕，暴露宗法社会的绞架，戮碎僵死文学的骸骨。他不仅在消极方面讽刺暴露而已，在积极方面，更用进步的新道德观去代替有毒的旧道德观，用合理的生活方法去代替野蛮的习惯制度，用真挚的人情去代替虚伪的矫情，用生动的新文学去代替朽腐的旧文学（主要表现在创作上）。

他在一九一八年写的《我的节烈观》里，首先对封建的野蛮道德和礼教作了犀利的抨击。原来在民国成立不久之后，一班阔老和遗老在那里大闹提倡节烈的把戏，在他们看来，妇女的“不节烈”害了国家，或者用鲁迅一篇小说中的主人翁四铭的口气来说，“搅乱天下的就是她们”（见《彷徨 · 肥皂》），只有表彰节烈，才可以挽救世道人心。这套提倡节烈的荒谬理论，遭到了鲁迅尖刻的讽刺：

> ……女人死了丈夫，便守着，或死掉；遇了强暴，便死掉；将这类人物，称赞一通，世道人心便好，中国便得救了。（《全集》卷一，一〇五页）

提倡守节，表彰烈女，不过是为的维持垂死的宗法社会躯壳，维持男性——特别是"阔老"、"富翁"们作践女性的吃人制度。在后来写的一篇题名《祝福》的小说里，鲁迅是把旧社会残酷地对待一个改嫁之后死了丈夫的寡妇——祥林嫂的惨剧，刻画出来了，叫人读了酸鼻。他是寄同情于被牺牲的女性，对野蛮的"表彰节烈"的恶习挑战。他大声喊出："要除去虚伪的脸谱，要除去世上害己害人的昏迷和强暴。……要除去于人生毫无意义的苦痛，要除去制造并赏玩别人苦痛的昏迷和强暴。要人类都受正当的幸福。"（《全集》卷一，一一五页）这宣言不仅鼓起了妇女们争生存争平等的勇气，更激发了一切进步群众反旧社会的义愤。

僵尸们不但要提倡节烈，叫女性们永久做男子的牺牲，而且要巩固父权，叫青年人永久做老朽的殉葬物。倘使有人对这偶发议论，便会得到"'铲伦常'、'禽兽行'之类的恶名"（《我们现在怎样做父亲》）。然而鲁迅却鼓起了勇气和那种"死人拖住活人，老人管住青年"（瞿秋白的话）的旧势力斗争。他依据生物进化的理论认为"后起的生命总比以前的更有意义，更近完全；因此也更有价值，更可宝贵”（《坟·我们现在怎样做父亲》）。然而“中国的旧见解，又恰恰与这道理完全相反。本位应在幼者，却反在长者；置重应在将来，却反在过去。前者做了更前者的牺牲，自己无力生存，却苛责后者又来专做他的牺牲”（同上）。这就是僵尸们所要维持的“孝”道，孔子所说的“三年无改于父之道，可谓孝矣”，岂不是明明要后代的人永远不前进，永远“昏天黑地的在社会上转，同他们父亲一样，或者还不如”（《热风·随感录》二十五）。这是如何荒谬，如何违背人类进化的原则。为要打破这种把子孙当做牺牲的荒谬见解，鲁迅主张前代的人应该让后代的人“超越了自己，超越了过去。超越便须改变，所以子孙对于父祖的事应该改变”（《我们怎样做父亲》）。“应将天性的爱，更加扩张，更加醇化；用无我的爱，自己牺牲于后起新人。”（同上）尤其重要的是，上代的人应该“自己背着因袭的重担，掮住了黑暗的闸门，放他们（孩子或青年）到宽阔光明的地方去”（同上）。鲁迅不仅这样劝告一切做父亲者，他自己大半生就实行了这个原则，他是为了青年的中国“一面清结旧账，一面开阔新路”（同上）。他的思想之所以能够不断前进，站在时代的前哨，一个最重要的原因，便是他愿意为后代的人着想，为民族的进步着想，和那些自己不肯前进还要拖住青年人做自己殉葬品的昏庸老朽对照起来，恰恰是代表了进步与反动，光明与黑暗的两极端。

鲁迅不但无情的攻击了那“蔑视了真的人情”的“虚伪道德”，反对“一味收拾幼者弱者”提倡孝烈的恶风，并且他不断在鼓励“幼者”、“弱者”，争取自己的幸福。在《与幼者》一篇杂感里，他借了日本有岛武郎的话劝告青年们：

> 幼者呵！将又不幸又幸福的你们的父母的祝福，浸在胸中，上人生的旅途罢！前途很远，也很暗，然而不要怕，不怕的人面前，才有路，走罢！勇猛者！幼者呵！（《热风·随感集》六十三）

怀着“对于一切幼者的爱”（同上），鲁迅是不断地指导和护卫青年，像一个负责的教师，又像一个热情的保姆。从辛亥革命前后一直到死，他对于青年所做的教养工作是繁重得惊人的。别人要青年人替老年人“背着因袭的重担，掮住黑暗的闸门”，而他却要自己把这种“重担”和“闸门”背着掮住，把青年人“放到宽阔光明的地方去”。

对于妇女，鲁迅所要求的是解除男女不平等社会所加于她们的束缚，而要达到这个目的，当然需要战斗，因为世上决没有不经过弱者的战斗，强者会自动给弱者以幸福的事情。

“五四”时代，妇女要求参政权的声浪已经很高了。鲁迅倒并不提出这一类的口号，他只很简劲地提出了两个原则：“第一，在家应该先获得男女平均和分配；第二，在社会，应该获得男女相等的势力。”（《坟·娜拉走后怎样》）他接着又说：“可惜我不知道这权柄如何取得，单只知道仍然要战斗；或者也许比要求参政权更要用剧烈的战斗。”然而他一面主张战斗，一面也主张用“和平的方法”来达到解放的目的，“这就是将来利用亲权来解放自己的子女”，这和他以前主张的上代人应该为后代人争取幸福的见解是一贯的。他提出了妇女要求经济权的主张，但他却明白指出了，这并不是最根本的解决办法：

> 在经济方面得到了自由，就不是傀儡了么？也还是傀儡。……**因为现在的社会里，不但女人常做男人的傀儡，就是男人和男人，女人和女人，也相互地做傀儡，男人也常做女人的傀儡，这决不是几个女人取得经济权所能救的。**……**如果经济制度改革了，那上文当然完全是废话。**（《全集》卷一，一四九页）

他深彻地洞烛了现社会的经济制度，阻住了妇女彻底解放的道路。现社会的中心问题不是男女之间的彼此的对立，而是各个不同社会阶级相互的矛盾，所以才会有“男人和男人，女人和女人，相互地做傀儡，男人也常做女人的傀儡”的现象。唯有整个的社会经济制度，合理地改变了，妇女才能够获得完全的解放。因此他的见解，跟那些笼统地主张妇女反对男性压迫，要求平等自由的理论，是大不相同的。

长期的封建统治搀杂着不长进的商业资本的糜烂气息，造成了中国民族根深蒂固的遗传病。对于这种民族病，鲁迅很早就注意到了。据许寿裳的《怀亡友鲁迅》说：“鲁迅在弘文学院时（一九〇一——一九〇三年），常常谈到三个相联的问题：（一）怎样才是最理想的人性？（二）中国国民性最缺乏的是什么？（三）它的病根何在？”（《鲁迅纪念集》第一辑第四页）自然，鲁迅当初还不能运用新社会科学的观点来找出民族的病理，但从他开始写作以后，对于国民性的弱点或民族病曾作了有力的暴露与打击；特别在“五四”时代，他的鹰隼般的眼力洞察了中国民族种种的劣根性，唤起国人为革除民族劣根性而斗争。一九二一年发表的杰作《阿Q正传》实际上是一篇描写民族病态的小说。阿Q不但是一个落后的农民典型人物，同时也是中国民族劣根性的象征人物。阿Q到处表示自尊自大，夸耀祖上的阔气，这种自负的口气，不是和国粹派所惯说的“中国地大物博，开化最早，道德天下第一”之类的老调一样吗？阿Q用“儿子打老子”之类的自言自语，即所谓“精神胜利法”来安慰自己，这种自欺欺人的办法，不是和旧士大夫们“不敢正视各方面，用瞒和骗，造出奇妙的逃路”（《坟·论睁了眼看》）之类的作风差不多么？阿Q惯会“估量对手，口讷的便骂，气力小的便打”，待到吃亏上当，便“改为怒目而视”，或自称虫豸，这种欺弱畏强，自轻自贱的性格，不是和大人先生们“对于羊显凶兽相，而对于凶兽则显羊相”（《华盖集》），或对于异族不称禽兽，便称圣上（《热风》）的老脾气相像吗？（参看许寿裳:《鲁迅的生活》）在鲁迅的笔底下，中国民族的老毛病是照耀得原形毕露了。然而凡真正熟悉“国情”的人，自然看得出这一类可恶而又可怜的民族病，实际上是应由衰朽腐败的封建支配阶级负责的。鲁迅在“五四”时代的作品，反映民族的两极化（一端趋向于腐败与堕落，另一端趋向于进步与革新）还不十分明显，这是因为那时候，民族内部的政治分化还未十分成熟。当时屡次出现在鲁迅杂感文中成为讽刺对象的“中国人”，实际上主要的是指那些朽腐反动的僵尸们，自然僵尸的愚民政策给了人民大众以长期的有毒的影响，使后者也分担了一部分“民族病”的恶果，是没有疑问的。然而所谓民族病或国民性的劣点并非不可克服的。后来，鲁迅对于国民性的问题作了极正确极乐观的见解："幸而谁也不敢十分决定地说：国民性是决不会改变的。在这'不可知'中，虽可有破例的灭亡的恐怖，也**可以有破例的复生的希望，这或者可作改革者的一点慰藉吧。**"(《忽然想到》) 往后的历史不是确凿证实了鲁迅的预见吗？

"五四"运动虽然把中国的新文化新思潮推进了一步，在启蒙运动史上留下了不可磨灭的光辉，但是新文化阵线不久就发生了分裂。一部分人渐渐松懈了对于国粹主义的抗战，甚至对各种旧势力（如旧文学、国故学、儒道等）表示姑息和妥协。另一部分人却再接再厉继续作不妥协的斗争，把新文化运动推进到更高的阶段。在这一时期，表现在中国思想战场上的，有旧势力的反攻，有过去新文化运动的投降，有力战不屈的新文化战士的苦斗，也有夹在新旧两大阵线中的中庸主义者的奔走调停。这些现象反映着什么呢？无疑的是反映中国各种社会利益的矛盾与分化。在此时期，由于战后国际帝国主义对中国作加紧的榨取，来补偿它们在大战时期的损失，曾经繁荣过一时的民族资本主义至此又遭受到了严重的打击，大资产阶级特别是买办阶层在国际资本主义的策动之下，勾结国内的残余封建势力，对民族革新运动尽了极大的阻碍作用。而脆弱的民族资本集团，表现了一时的退婴。这样就使反动的封建军阀官僚政客以及和他们相结托的御用文人，对民主革命展开了全面反攻。曾经代表民族资本的知识分子至此动摇的动摇，叛变的叛变。有些“五四”的健将在大开倒车。

鲁迅曾描叙这种情景：“记得初提倡白话文的时候，是得到各方面的剧烈攻击，后来白话渐渐通行了，势不可遏，有些人便一转而引为自己之功，美其名曰‘新文化运动’。又有些人便主张白话不妨作通俗之用；又有些人却道白话文要做得好，仍须看古书。前一类早已二次转舵，又反过来嘲骂新文化了；后二类是不得已的调和派，只希图多留几天僵尸，到现在还不少。”（《坟·写在〈坟〉后面》）对于这种文化的开倒车趋势，鲁迅是击不遗余力。别人在恭维他的白话文写得好，全得力于古文，他却感慨地说：“这实在使我打了一个寒噤，……自己却苦于背了这些古老的鬼魂，摆脱不开，时常感到一种使人气闷的沉重。”后来有人劝青年读《庄子》、《文选》，鲁迅也猛烈反对。他不光是为了青年的利益着想，也是为了语文改革运动的前途着想。

文化界开倒车的现象，还不仅表现在“五四”健将的妥协投降上，不仅表现在语文范围内，当时所有复古派、卫道派都在乘机起来。“反改革的空气浓厚透顶了，满车的‘祖传’、‘老例’、‘国粹’等等都想来堆在道路上，将所有的人家完全活埋下去。”（一九二五年鲁迅给徐柄昶的信）为回答这种浓厚透顶的“反改革”空气，鲁迅再度喊出了“思想革命”的口号。他以为此时再来喊“思想革命”，固然“未免可悲”，但除此而外，没有别法：

> 不革新，是生存也为难的，而况保古。……我们目下的当务之急，是：一要生存，二要温饱，三要发展。苟有阻碍这前途者，无论是古是今，是人是鬼，……全都踏倒他。（《华盖集》）

事实上，他在此时已经把思想革命与政治革命的任务联系起来了。他猛烈攻击那些诬蔑革命的谰言（如“讲革命是为的图利”、“过激派共产公妻”之类的谬说在他的杂感文里都遭到了锋利的讽刺），反对“修补老例”

（见《坟·再论雷峰塔的倒掉》及《华盖集·记谈话》）的传统，对于改革或革命则热烈地加以鼓励和颂扬。这就是他对于复古运动的回击。用他自己的话来说，就是“对于根深蒂固的旧文明，施行袭击”（《两地书》）。

从一九二四年以后，国内民主革命与反革命的对垒是日益明显了。反映在文化思想界，也展开了火烈的斗争。在反革命营垒，不仅挤满了复古的封建余孽，张起了国粹主义的古老旗帜，并且收容了“欧化”的官场学者，挂起了东方文明的金字招牌。拿民命来赌博的军阀现在是有了各色各样的赌具：新的、旧的、国货的、舶来的，真是五光十色，纷然杂陈。在这时期，革命的小资产阶级（《进步的文化人》）对于反动势力的进攻，是用坚决的攻势防御战来回答，《语丝》以及后来的《莽原》就成了当时进步知识分子打击“官场学者”、“御用文人”和他们的主子的重要堡垒。不用说，在主将鲁迅的领导之下，“语丝派”和受它影响的战斗群众是争取了主动的地位。鲁迅当时对准了“帮助军阀的文人学士”（《野草》英文译本序，《二心集》），“举起投枪”，和他们作“韧”的战斗。

要有这样的一种战士！

他走进无物之阵……那些头上有各种旗帜，绣出各样好名称！慈善家、学者、文士、长者、青年、雅人、君子……（原有虚点）头上有各样外套，绣出各式好花样：学问、道德、国粹、民意、逻辑、公义、东方文明……（原有虚点）

但他举起了枪。(《野草 · 这样的战士》)

鲁迅最痛恨的，就是那些“比它主人更严厉的狗”，“媚态的猫”，“未叮人之前还要哼哼地发一篇大议论的蚊子”(《华盖集 · 夏三虫》)，以及“脖子上挂着一个小铃铎的山羊”(《华盖集 · 一点小比喻》)。这些东西虽然挂起各色各样好看的徽章，实际上是“无物之物”(《这样的战士》)。但正因为他们戴着学者、文人、雅士、君子、慈善家之类的假面，穿起道德、学问、国粹、民意、公理、东方文明之类的外套，对革新运动的进攻，比他们的主子还要来得凶狠，所以鲁迅决不宽容他们，放过他们。“偏要在庄严高尚的假面上拨它一拨”(《华盖集续编》小引）。搐击反动统治的戏班子，——“做戏的虚无党”（《华盖集续编·马上支日记》），实际上其是攻打反动统治的本身。

在和现代评论派作斗争的时候，鲁迅很明显的是站在人民革命的联合阵线，这时期他的政治思想的锋刃磨炼得比以前更锐利，更雪亮，他要拆除那“由旧有的古砖和添补的新砖构成的长城”（《华盖集·长城》），对于帝国主义及其走狗的统治表示了强烈的痛愤。当“五卅”事件起来的时候，许多人在那里“辩诬”，洗刷“赤化”、“暴徒”的罪名，他却沉痛地提出抗议：“我不解为什么中国人如果真使中国赤化，真在中国暴动，就得听英捕来处死刑？”（《华盖集·忽然想到之十》）他告诉大众要辨清谁是真的敌人，谁是真的友人，并举出了萧伯纳、巴比塞等做同情中国的代表，来说明反帝与排外是截然不同的两回事。他更鼓励青年“……共同抗拒，改革，奋斗三十年，不够，就再一代，二代……”（同上）“设法增长国民的实力，永远这样的干下去”（同上）。后来“诗哲”徐志摩在罗曼·罗兰的诞辰写纪念文，说：“……如有其人拿一些时新的口号，什么打倒帝国主义等等去报告罗兰先生，说这是新中国，我再也不能预料他的感想了。”（《晨报》副刊一二九九号）鲁迅驳道：“罗兰先生的意思，是以为新中国应该欢迎帝国主义的么？”（《华盖集续编·无花的蔷薇》）从他的杂感文里，喷出了反帝国主义的猛烈火焰。

北京的反动政府当时已成了压迫人民抗拒革命的血腥营垒，什么“整顿学风”，“剿办学匪”，“格杀暴徒”之类的戏法是层出不穷了。鲁迅见了黑暗势力的继续增大和革命势力的继续兴起，他曾写信给景宋说：“由我想来，目下的压迫和黑暗还要增加，但因此也许可以发生较激烈的反抗与不平的新分子，为将来的新的变动的萌蘖。”（《两地书》）就在一年以后，“三·一八”血案在文化城发生了，作了“新的变动的萌蘖”。“中华民国十五年（原作十六年，恐系误排或误书）三月十八日段祺瑞政府用步枪大刀，在国务院门前包围虐杀徒手请愿意在援助外交之青年男女，至数百人之多。还要下令，诬之曰’暴徒’。”（《华盖集续编·无花的蔷薇之二》）鲁迅称这是“民国以来最黑暗的一天”，称这次虐杀为“诱杀”（同书《空谈》）。然而他决不止于悲愤一下就了事，他由此更加坚定了如下的革命信念："世上如果还有要活下去的人们，就应该……在这可诅咒的地方，击退了可诅咒的时代。"（《华盖集·忽然想到之五》）当时除了人民起来实行"激烈的反抗"外，还有什么别的道路可走呢？

> 如果中国还不至于灭亡，则已往的史实教过我们，**将来的事便要大大出于屠杀者意料之外**。
>
> **这不是一件事的结束，是一件事的开头**。
>
> **墨写的说谎决掩不住血写的事实**。
>
> **血债必须用同物偿还，拖欠得愈久，就要付更大的利息！**（《华盖集续编·无花的蔷薇之二》）

这一段预言不久就由"血写的事实"证实了。"三·一八"惨案发生不久之后，"出乎屠杀者意料之外"的大革命降临中国了。革命与反革命的血的斗争使中国思想界添了新的活气。革命开始摇动了一切，主宰了一切。

鲁迅所期望的“叛逆的猛士”(《野草·淡淡的血痕中》),“敢于正视淋漓的鲜血的真的猛士”(《华盖集续编·纪念刘和珍君》)已经大批地出现,转战于全国了。一九二七年来到了广州之后的鲁迅,对于革命表示了极大的欣慰。他讴歌革命道:“其实革命是并不稀奇的,唯其因为有了它,社会才会改革,人类才会进步。……凡是至今还未灭亡的民族,还都天天在努力革命。”他相信:“中国经了许多战士的精神和血肉的培养,的确长出了一点先前所没有的花果来,也还有逐渐生长的希望。”(以上二段均见《而已集·黄花节的杂感》)他认为:“革命无止境,所谓‘革命成功’是指暂时的事而言;其实‘革命尚未成功’的。”(同上)“这一部分人和那一部分人斗争,非先行变换现代社会底状态不可。”(《而已集·革命时代的文学》)这种对于革命的见解岂是一般机会主义的“革命理论家”所说得出的?

第三节 鲁迅晚年的思想

大革命暴风雨的息止,并没有中断中国人民争取解放的战斗。资产阶级对帝国主义及封建势力高竖白旗的结果，使革命与反革命两大营垒之间发生惨酷的内战，一方面是大资产阶级和封建地主依靠国际资本寡头的奥援，竭力维持附庸国与半殖民地的旧社会秩序，对新阶段的革命施展血的镇压，另一方面是工农大众和革命小资产阶级坚持反封建反帝国主义的民主革命，其目的在颠覆旧社会秩序，把中国民族从半殖民地半封建的奴隶状态中解放出来；壁垒是非常森严的，鏖战是非常剧烈的。从革命转入新阶段以后，在中国人民面前提出了几个最尖锐的问题：第一是中国革命运动的性质和任务如何？第二是中国革命与世界革命的关系如何？第三是哪一阶级是中国革命运动的领导者？第四是怎样争取中国民主革命的彻底胜利？

伟大的民主主义战士鲁迅用作品和行动切实回答了这些问题。他最热情地为继续执行反封建、反帝的神圣任务而战，最英勇地对一切压迫民主革命摧残人民自由的奴役制度猛掷投枪。辛亥革命、“五四”运动、大革命虽然接二连三失败了，但是，鲁迅仍然坚决相信，中国人民大众一定能够战胜自己的敌人，奔赴革命的胜利前途。他比以前更加明确认识了阶级矛盾乃是革命的核心问题。先前他从进化论出发，认为青年人总比老年人好；因此对青年人寄予热烈的希望，主张让后代的人超越老人；从民主主义的角度看来，这不失为比较进步的看法。因为事实上，青年是推动中国进步的生力军，是反抗旧社会腐败传统的革命成分；当腐败的反动集团在用诬蔑、欺骗和迫害对付青年的时候，鲁迅挺身出来为青年辩护和鏖战，这正是对凶暴卑污的守旧势力最严重的打击，同时也是对光明革新势力最有力的护持。但是，随着革命的发展和阶级分化的剧烈，他从血的教训中，深刻领悟了，革命与反革命的营垒之划分，本质上应当从阶级关系的分析出发，他曾沉痛地记述这个教训道：

> 我一向是相信进化论的，才以为将来必胜于过去，青年必胜于老年人，对于青年，我敬重之不暇，往往给我十刀，我只还他一箭。然而后来我明白我倒是错了。……我在广东就目睹了同是青年，而分成两大阵营，或者投书告密，或则助官捕人的事实！我的思路因此轰

毁，后来便时常用了怀疑的眼光去看青年，不再无条件的敬畏了。(《三闲集》序言)

我的一种妄想破灭了。我至今为止，时时有一种乐观，以为压迫、杀戮青年的，大概是老人。这种老人渐渐死去，中国总可以比较有生气。现在我知道不然了，杀戮青年的，似乎倒大概是青年。(《而已集》)

自然，鲁迅并没有对青年绝望，他至死没有停止帮助和指导青年的活动，他始终在“为初上阵的青年们呐喊”(《三闲集》)。然而，他的思想和工作是日益深入于被压迫的劳苦大众中，他敏锐地看清了，在历史的战场上谁是腐败的没落的角色，谁是有希望的进步的力量。他曾坦白地自叙自己思想的发展：

只是原先憎恶这熟识的本阶级，毫不可惜地它的溃灭，后来又由于事实的教训，以为唯新兴的无产者才有将来。(《二心集》序言)

假如说，鲁迅的战斗工作最初是以暴露剥削阶级的罪恶与腐败为主，是同情和赞助一般的革新力量，是作为一个坚决的民主主义者号召群众对旧社会的反抗，那么，在大革命以后，他的思想和战绩就与最进步的生产阶级的战斗活动联系得不可分开，他热烈地同情和赞助劳工集团所领导的民主革命运动和社会解放斗争，作为一个社会主义者而活跃在艰困的革命事业中。从此，他不仅凭借那枝泼剌的光辉的笔表达革命大众的战斗，而且参加到争自由、争解放的正义战斗中，和劳动大众一同呼吸，一同行进。他先后组织自由运动大同盟，参加人权保障大同盟，为的是要反抗摧残人民自由的暴虐势力，保卫力争光明的前卫战线。紧张而艰险的实践使他更加深刻地认识中国革命的远景，更加英勇地倾注歌颂劳动集团进军的热情。青年并没有使他失望，虽然有不少堕落青年在他眼面前沉沦变节，变成为时代的污渣，但是大多数青年仍然在争自由的战场上喋血苦斗。他的追求真理、保卫正义的精神和他的爱护青年、奖掖后进的热忱结合起来，鼓励了广大前进青年的革命勇气，增厚了左翼阵线的作战实力。他凭借组织力量反抗黑暗的现实，说明了他已由孤军转战跨入集团战斗，同时说明了他对中国劳动大众的革命前途表示乐观的信任。

自然，鲁迅并没有放弃自己原有的战斗岗位，他终身努力从事的，是为人生为社会的文艺工作，他深信在革命退潮时期，文艺可以成为武装大众打击敌人的锋锐武器。他说：

> 当从广东开始北伐的时候，一般积极的青年都跑到实际工作去了，那时还没有什么显著的革命文学运动。到了政治环境突然改变，革命遭了挫折，阶级的分化非常显明，……所剩的青年们再入于被压迫的境遇，于是革命文学在上海这才有了强烈的活动。所以这革命文学的旺盛起来，在表面上和别国不同，并非由于革命的高扬，而是因为革命的挫折。(《二心集》)

革命文学运动的蓬勃，是由于革命遭受挫折，许多被压迫的前进知识分子把精力转移到革命文化运动中来，而文艺运动正是整个革命文化运动的一个重要支流，当时上海乃是革命文化运动的心脏。鲁迅挺身出来领导“左翼”作家联盟，运用他的笔尖和喉舌教育广大青年，同时也让群众教育了他自己。假如说，在和创造社等论争的时期，他主要是对“左翼”文化尽诤友的责任，反对革命文学运动中的浪漫主义偏向，那么，到了“左翼”作家联盟时期，他就是正式站在主将的地位，领导革命的文艺运动以至整个的革命文化运动。但是革命的文化运动并非一帆风顺的，它不断遭受压迫和打击。鲁迅领导全国的革命文化工作者对抗文化的“围剿”。他向“左翼”文化阵线提出了严重警告，为的是要整饬革命文化队伍，加强工农大众的精神作战力量：

> 因此革命的文学者，就不但应当留心迎面的敌人，还必须防备自己一面的三翻四覆的暗探了。(《二心集》)

但他同时反对“非革命的革命急进论”。戒备敌人破坏革命文化营垒，固然是万分必要的，然而必须清楚认识："在帝国主义的主宰之下，必不容训练大众个个有了'人类之爱'然后拱手变为'大同世界'一样，在革命者们所反抗的势力之下，也决不容用言论或行动，使大多数统得正确的意识。所以每一革命部队的突起，战士大概不过是反抗现状这一种意思，大略相同，终极目的是极为歧异的。或者为社会，或者为小集团，或者为一个爱人，或者为自己，或者简直为了自杀。然而革命军仍然能够前进。因为在进军的途中，对于敌人，个人主义所发的子弹，和集团主义所发的子弹一样地能够制其死命；任何战士死伤之际，便要减少些军中的战斗力，也是两者相等的。但自然，因为终极目的的不同，在行进时，也时时有人退伍，有人落荒，有人颓唐，有人叛变；然而只要无碍于进行，则愈到后来，这队伍也就愈成为纯粹的精锐了。"（《二心集·非革命的急进革命论者》）他并不像某些执拗的空想家一样，以为一定要先把革命队伍锻炼得百分之百纯粹，然后才可以进军，才可以作战。他极正确地认识到，革命队伍，要发展自己，争取革命胜利，就必须一面对外打击黑暗主力，一面对内克服自身弱点。他说过：

自从有了“左翼”文坛以来，理论家曾经犯过错误，作家之中，也不但如苏汶先生所说，有“左而不作”的，并且还有由左而右，甚至于化为民族主义文学的小卒，书坊的老板，敌党的探子的，然而这些讨厌了“左翼”文坛的文学家所遗下的文坛，却依然存在，不但存在，还在发展，克服自己的坏处，向文艺这神圣之地进军。苏汶先生问过：克服了三年，还没有克服好么？回答是：是的，还要克服下去的，三十年也说不定。**然而一面克服着，一面进军着，不会做待到克服完成，然后行进那样的傻事的**。（《南腔北调集·论第三种人》）

从这种清晰的战斗现实主义出发，鲁迅告诫一般“左翼”文化人千万不要沾染浪漫蒂克的革命空想，而要切实地在战斗实践中严肃工作，洗炼自己。他不只是和“非革命的革命急进论者”斗争，同时也对一切同路人的颓废倾向与形式主义迎战。

在鲁迅的哺养之下，“左翼”文化运动一天一天壮大起来了。革命文化浪潮的涌流，反映着整个工农大众的革命战斗的脉搏。正因为如此，“黑暗的主力”就对进步的文化运动日益加紧残酷的迫害。鲁迅并不计较他个人的安危，可是他异常痛心文化战士的受难，他有时甚至用一种伤感的心情表示他的强烈的抗议。在柔石等十多位文化战士被难以后，他写下了下面一首洋溢着悲愤的律诗：

惯于长夜过春时，挈妇将雏鬓有丝。梦里依稀慈母泪，城头变幻大王旗。忍看朋辈成新鬼，怒向刀丛觅小诗。吟罢低眉无写处，月光如水照缁衣。

接着他悲凉而又愤激地写下了他的纪念辞：

不是年青的为年老的写纪念，而在这三十年中，却使我目睹许多青年的血，层层淤积起来，将我埋得不能呼吸。我只能用这样的笔墨，写几句文章，算是从泥土中挖一个小孔，自己延口残喘，这是怎样的世界呢？夜正长，路也正长，我不如忘却，不说的好罢。但我知道，即使不是我，将来总会有记起他们，再说他们的时候的……（《南腔北调集·为了忘却的纪念》）

但是，鲁迅不甘以悲愤来结束他的复仇斗争，他号召青年战士用坚韧的战斗精神来冲出黑暗的重围，力争光明的未来。他坚信着未来是属于进步的势力的，因此对革命前途始终抱着乐观，一九三一年他在写给韦素园的信内这样说：

中国的做人虽然很难，我的敌人（鬼鬼祟祟的）也太多，但我若存在一日，终当为文艺尽力，试看新的文艺和在压制者保护之下的狗屁文艺，谁先成为烟埃。……**无论如何，将来总归是我们。**（李霁野：《忆鲁迅先生》）

带着铁一般的确信，鲁迅比谁都坚决地指示革命的劳苦大众及其文化运动在任何横暴之下，是可以发荣滋长的：

> 中国无产阶级革命文学在今天和明天之交发生，在诬蔑和压迫之中滋长，终于在最黑暗里，用我们同志的鲜血写了第一篇文章。
>
> 我们的劳苦大众历来只被最剧烈的压迫和榨取，连识字教育的布施也得不到，唯有默默地身受着宰割和灭亡。繁难的象形文字，又使他们不能有自修的机会。知识的青年们意识到自己的前驱的使命，便首先发出战叫。这战叫和劳苦大众自己的反叛的叫声一样使治者群恐怖，走狗的文人即群起进攻，或者制造谣言，或者亲做侦探。……
>
> 然而我们的这几个同志已被暗杀了，这自然是无产阶级革命文学的若干的损失，我们的很大的悲痛。但无产阶级革命文学却仍然滋长，因为这是属于革命的广大劳苦群众的；大众存在一日，壮大一日，无产阶级革命文学也就滋

长一日。我们的同志的血，已经证明了无产阶级革命文学和革命的劳苦大众是在受一样的压迫，一样的残杀，作一样的战斗，有一样的运命，是革命的劳苦大众的文学。(《二心集·中国无产阶级革命文学和前驱的血》)

是的，革命文学，不，整个革命文化运动和劳苦大众的命运是一脉相连的，劳苦大众“剿灭”不了，革命文化也就消灭不了。革命文化的滋长，不但证明了“大众的壮大”，而且证明了“唯有新兴的无产者才有将来”。

革命前驱的战斗和劳苦大众的抗争结合起来，使黑暗的主宰者不得不豢养与驱使“走狗的文人”追逐革命文化运动的战士，以济恐怖手段之穷。他们特别起劲地对鲁迅狂吠，为的是“鲁迅的骨头是最硬的，他没有丝毫的奴颜与媚骨”（毛润之语）。他不愿昧着良心帮助那些“对弱者革命”（鲁迅语）的屠伯说话，相反地，他对这血腥的一群大杀其“回马枪”。正因为如此，黑暗阵营就集中火力攻击他，对他表示彻骨的愤恨。奴婢式的文人讥笑他对革命文学“投降”了，称他为“文坛贰臣”，这明明反映一般压制者由衷的遗憾。因为假如鲁迅愿意效忠他们，对革命文学采取敌视的态度，他的那枝泼刺的笔是打击革命文化多么有力的武器。浓雾般的阶级利害翳障了他们充血的眼睛，使他们低能到看不清伟大的中华民族也存在着宝爱真理的正气（记得鲁迅曾经很愤慨地论及满清政府删改汉族书籍，说他的目的是要使天下读书人永远不会觉到在中国的著书人里面，也曾经有过极有骨气的人〔大意如此〕，这话其实是借古讽今）。他们根本不懂，真理之笔和正义之剑是不可分开的。和鲁迅同时代的文人学者不是有许多投奔在军阀官僚的幕下用软刀来帮助刽子手对“弱者实行革命”的吗？然而当他们一经沦为黑暗营垒的猎狗，他们的文章和理论就变成“人皆掩鼻而过之”的狗屁了。当鲁迅和创造社笔战的时候，一切“帮忙”与“帮闲”的“文坛英雄”连同他们的主子看得陶醉了，他们抱着可怜的幸灾乐祸想头，希望鲁迅抡起板斧，砍倒革命文学，加入他们的“帮忙队”，也希望论战的双方杀得两败俱伤。然而出乎他们的意外的，鲁迅对那些倾向于工农革命而又带有浪漫蒂克味道的文士尽了诤友的责任之后，他的回马枪是对准黑暗的主力猛搠过去了，他正式参加了劳苦大众的解放队伍。乘兴而来的看客，一下子变成了败兴而散的鬼魅，于是一切卑劣的造谣诬蔑就成了屠刀鞭棒的补充，鲁迅的名字被他们列入了文坛贰臣传。

其实鲁迅以旧社会秩序的“反抗者”的姿态出现，并不是从他参加“左翼”革命运动开始。鲁迅很早就说过：

> 因为从旧垒中来，情形看得较为分明，反戈一击，易制强敌的死命。(《坟·写在〈坟〉后面》)

是的，从清末一直到死，鲁迅无时不在对旧社会大杀“回马枪”。被主子牵住了笼头的无耻文人最初用苍蝇之心度战士之腹，以为鲁迅是革命文学的大敌，待到鲁迅一跃而为革命文学的主将，便用“精神胜利法”给他戴上“贰臣”的荆冠。他们忘记了在鲁迅驰骋于“左翼”文坛之前，他的那枝投枪似的笔便溅满了他们同类的血。

但卑劣文人及其主子们之所以特别痛恨鲁迅，主要是由于鲁迅用他的武器和韬略加强了革命战线，唤起了广大被压迫群众的觉醒；他们认为这是一个不可忽视的危险，这危险不消灭，就不能压服握紧拳头进行反抗的奴隶，就不能稳定他们的吃人的庖厨。

鲁迅领导一大群战士跟“围剿”新文化的敌人战斗，他的武器比以前愈加锋利了，战法比以前愈加老练了，他善于攻击对手的弱点，同时又善于在战斗中教育群众。

和鲁迅领导的“左翼”文学阵线交锋的，主要的是新月派，民族主义文学者，“第三种人”等。这些论争实际上不是单纯的文学派别的争斗，而是大革命以后国内各种社会势力——基本上是资产阶级，地主，绅士一群和劳动大众与革命知识分子之间的冲突在意识形态上的反映。

新月派和先前的现代评论派本来是有血统关系的，是历来反对民众革命的买办阶级与温和资产阶级的文艺集团，他们自命为维持现状的“正人君子”的代表，充任着歌颂帝国主义文明的“高等华人”的歌手。当劳苦大众的战叫通过前进知识分子的笔尖和喉舌，冲破黑夜的沉寂时，新月派的“正人君子”便发出了轻蔑的嘘嘘之声，他们在绅士文坛的四周布置了防范粗野大众文艺的警戒线，但常常也越过这警戒线向劳苦大众的文化思想阵线冲锋。鲁迅对这些“正人君子”作了勇猛的迎击。他剥除了新月派的伪善的外套，说道：

> 新月社中的批评家，是很憎恶嘲骂的，但只嘲骂一种人，是做嘲骂文章者。新月社中的批评家，是很不以不满于现状的人为然的，但只不满于一种现状，是现在竟有不满于现状者。
>
> 这大约就是“即以其人之道，还治其人之身”，挥泪以维持治安的意思。
>
> 譬如，杀人，是不行的。但杀掉“杀人犯”的人，虽则同是杀人，又谁能说他错？打人，也不行的，但大老爷要打斗殴犯人的屁股时，皂隶来一五一十地打，难道也算犯罪么？新月派批评家虽然也有嘲骂，也有不满，而独能超

然于嘲骂和不满的罪恶之外者，我以为就是这一个道理。

但老例：刽子手和皂隶既然做了这样维持治安的任务，在社会上自然要得到几分的敬畏，甚至于还不妨随意说几句话，在小百姓面前显显威风，只要不大妨害治安，长官向来也就装作不知道了。

现在新月社的批评家这样尽力地维持了治安，所要的却不过是“思想自由”，想想而已，决不实现的思想，而不料遇到了别一种维持治安法，竟连想也不准想了。从此以后，恐怕要不满于两种现状了罢。

新月派提倡“好政府主义”，实际不过是胡适等的好政府说的老调重弹。他们企图在维持现状之下对政治作一点一滴的自上而下的改良，但绝不能让革命的浪花溅着了“高等华人”的政坛，正如不能让革命文学的火舌舐着了“正人君子”的文坛一样。梁实秋说：

现在有知识的人（尤其是素来有“前驱者”、“权威”、“先进”的徽号的人），他们的责任不仅仅是冷讥热嘲地发表一点“不满于现状”的杂感而已，他们应该更进一步的诚诚恳恳地去求一个积极医治“现状”的药方。（《二心集·好政府主义》）

梁实秋接着就宣传他的“好政府主义”，鲁迅很锐利地刺了他一下：

不过我以为梁先生所谦逊地放在末尾的“好政府主义”，却还得更谦逊地放在例外的，因为自三民主义以至无政府主义，无论他性质的寒温如何，所开的究竟还是药名，如石膏、肉桂之类，——至于服后的利弊，那是另一个问题。独有“好政府主义”这“一副药”，他在药方上所开的却不是药名，而是“好药料”三个大字，以及一些唠唠叨叨的一些名药架子的“主张”。不错，谁也不能说医病应该用坏

> 药的，但这张药方，是不必医生才配摇头，谁也会将他“褒贬得一文不值”（“褒”是“称赞”之意，用在这里，不但“不通”，也证明了不识“褒”字，但这是梁先生的原文，所以姑仍其旧）的。
>
> 倘这医生羞恼成怒，喝道“你嘲笑我的好药料主义，就开出你的药方来！”那就更是大可笑的“现状”之一，即使并不根据什么主义，也会生出杂感来的。感慨之无穷无尽，正因为这样的“现状”太多的缘故。（同上书）

在这里，鲁迅充分表现了他是一个代表勤劳大众的卓越政论家，短短的几百字的论评，把民族改良主义的贫血而浮肿的尊容浮雕似的刻画出来了。

新月派所讴歌的，是少数人圈子里的典雅和天才，他们鄙视大众，戒备大众的粗手粗脚弄脏“正人君子”高谈阔论的殿堂，但是鲁迅偏要在他们的纸糊的殿堂面前戳一个老大窟窿：

梁实秋先生们虽然很讨厌多数，但多数的力量是伟大、要紧的，有志于改革者倘不深知民众的心，设法利导、改进，则无论怎样的高文宏议、浪漫古典，都和他们无干，仅止于几个人在书房中互相叹赏，得些自己满足，假如竟有“好人政府”出令改革乎，不多久，就早被他们拉回旧道路上去了。(同上书)

鲁迅的笔锋使新月派露出了恼羞成怒的窘态，他们唯有求助于造谣诬蔑的鬼魅伎俩，一面用以遮羞，一面用以迎敌。但他们造谣的本领也实在不高明，不过是在背诵着祖传的家法，例如“领卢布津贴”就是梁实秋等从造谣百科全书抄出来，用以诬栽进步文化人的骂人老公式。这不能击伤鲁迅及其战友的毫末，是显而易见的。鲁迅是善于画鬼脸的，但也工于画狗脸，试看他的工笔：

这正是“资本家的走狗”的活写真。凡走狗，虽或为一个资本家所豢养，其实是属于所有的资本家的，所以它遇见所有的阔人都驯良，遇见所有的穷人都狂吠。不知道谁是它的主子，正是它遇见所有阔人都驯良的原因，也就是属于所有的资本家的证据。即使无人豢养，饿的精瘦，变成野狗了，但还是遇见所有的阔人都驯良，遇见所有的穷人都狂吠的，不过这时它就愈不明白谁是主子了。（同上书）

新月派代表着“自由主义”的资产阶级。自从资产阶级和地主集团抱头痛哭表示“和衷共济”以后，封建营垒的人物在政治上高视阔步，使倾向于欧美化（实际是殖民地化）的改良派资产阶级也不“满于现状”起来，他们谈人权，讲约法，甚至于发一点“忧国”的牢骚，然而这不过是鲁迅所说的焦大骂贾府的悲喜剧演出；大观园的焦大被塞了一口的马粪，上海滩的《新月》也终于遭到了意外的“压迫”（受停刊处分），鲁迅以讽刺语气论及这事说道：

这一回，新月社的“自由言论”遭了压迫，照老办法，是必须对于压迫者，也加以压迫的，但《新月》上所显现的反应，却是一篇《告压迫言论自由者》，先引对方的党义，次引外国的法律，终引东西史例，以见凡压迫自由者，往往臻于灭亡：是一番替对方设想的警告。

所以，新月社的“严正态度”、“以眼还眼”法，归根结蒂，是专施之力量相类，或力量较小的人，倘给有力者打肿了眼，就要破例。只举手掩住自己的脸，叫一股“小心你自己的眼睛”（同上书）。新月派的遭受“压迫”，就可证明民族改良主义的前途的悲哀。鲁迅曾经说过：

满洲人自己，就严分着主奴，大臣奏事，必称“奴才”，而汉人却称“臣”就好。这并非因为“炎黄之胄”特地优待，锡以嘉名的，其实所以别于满人的“奴才”，其地位还下于“奴才”数等。奴隶只能奉行，不许言议；评论固然不可，妄自颂扬也不可，这就是“思不出其位”。譬如说：主子，你这袍角有些儿破了，拖下去怕更要破烂，还是补一补好。进言者方自以为在尽忠，而其实却犯了罪，因为另有准其讲这样的话的人在，不是谁都可说的。一乱说，便是“越俎代谋”，当然“罪有应得”。倘自以为是“忠而获咎”，那不过是自己的糊涂。（同上书）

这段借古讽今的文字虽然是后来针对着第三种人写的，但很可以说明当时新月派大吃“马粪”的原由。是的，当时“进言者方自以为在尽忠，而其实却犯了罪，因为另有准其讲这样的话的人在”（自然，历史告诉我们，新月派的“正人君子”后来渐渐高升起来了，他们已取得了“言议”的资格了，但这是后话）。正在此时，出现了民族主义的文学。所谓民族主义文豪们虽还没有直接言议之权，但他们究竟是“围剿”革命文化的合法的“文装同志”，与捣毁书店，绑走作家的“武装同志”一样，是奉旨“发扬民族精神”，“保卫本位文化”的。他们撑起了打倒无产阶级文学的民族主义文学大纛，这战法倒也干脆，和新月派躲躲闪闪嘲骂无产阶级文学的态度不大相同。鲁迅用的是反扫荡战术，他的刀口劈在民族主义文学的天灵盖上。他揭露了民族主义文学的原形，所谓“民族主义”文学不过是效忠帝国主义反对人民反帝运动的殖民地狱吏的文学：

> 殖民政策是一定保护、养育流氓的。从帝国主义的眼睛看来，唯有他们是最要紧的奴才、有用的鹰犬，能尽殖民地人民非尽不可的义务；一面靠着帝国主义的暴力，一面利用本国的传统之力，以除去“害群之马”，不安本分的“莠民”。所以，这流氓，是殖民地上的洋大人的宠儿；——不，宠犬，其地位虽在主人之下，但总在别的被统治者之上的。

上海虽然也不会不在这例子里。巡警不进帮，小贩虽自有小资本，但倘不另寻一个流氓来做债主，付以重利，就很难立足。在文艺界上，竟也出现了“拜老头子”的文学家。

但这不过是一个最露骨的事实。其实是，即使并非帮友，他们所谓“文艺家”的许多人，是一向在尽“宠犬”

的职分的，虽然所标的口号，种种不同，艺术至上主义呀，国粹主义呀，民族主义呀，为人类的艺术呀，但这仅如巡警手里拿着前膛枪或后膛枪，来福枪、毛瑟枪的不同，那终极的目的却只一个：就是打死反帝国主义的反政府，亦即“反革命”或仅有些不平的人民。

那些宠犬派文学之中，锣鼓敲得最起劲的，是所谓“民族主义文学”。但比起侦探、巡捕、刽子手们的显著的勋劳来，却还有很多的逊色。这缘故，就因为他们还只在叫，未行直接的咬，而且大抵没有流氓的剽悍，不过是飘飘荡荡的流尸。然而这又正是“民族文学”的特色，所以保持其“宠”的。

翻一本他们的刊物来看吧，先前标榜过各种主义的各种人，居然凑合在一起了。这是“民族主义”的巨人的手，将他们抓过来的么？并不，这些原是上海滩上久已沉沉浮浮的流尸，本来散见于各处的，但经风浪一吹，就漂集一处，形成一个堆积，又因为各个本身的腐烂，就发出较浓厚的恶臭来了。

这“叫”和“恶臭”有能够较为远闻的特色，于帝国主义是有益的，这叫做“为王前驱”，所以流尸文学仍将与流氓政治同在。

但上文所说的风浪是什么呢？这是因无产阶级的勃兴而卷起的小风浪。先前的有些所谓文艺家，本未尝没有半意识的或无意识的觉得自身的溃败，于是乎自欺欺人的用种种美名来掩饰，曰高逸，曰放达（用新式话来说就是“颓废”）；画的是裸女、静物、死，写的是花月、圣地、失眠、酒、女人。“到旧社会的崩溃愈加分明，阶级的斗争愈加锋利的时候，他们也就看见了自己的死敌，将创造新的文化，一扫旧来的污秽的无产阶级，并且觉到了自己就是污秽，将与在上的统治者同其运命，于是就必然漂集于为帝国主义所制的民族中的顺民所竖起的‘民族主义文学’的旗帜之下。”（《二心集·民族主义文学的任务和运命》）鲁迅极明快地暴露了所谓民族主义文学的本质。他还生动地从民族主义文学作品中举了两个例证，证明所谓民族主义文学是如何传播帝国主义意识，宣扬民族奴隶主义，第一个例子是：

在《前锋月刊》第五号上，却给了我们一篇明白的作品，据编辑者说，这是“参加讨伐阎冯军事的实际描写”。描写军事的小说并不足奇，奇特的是这位“青年军人”的作者所自述的在战场上的心绪，这是“民族主义文学家”的自画像，极有郑重引用的价值的。

> 每天晚上站在那闪烁的群星之下，手里执着马枪，耳中听着虫鸣。四周飞动着无数的蚊子，那样都使人想到法国“客军”在非洲沙漠里与阿剌伯人争斗流血的生活。（黄震遐：《陇海线上》）

原来中国军阀的混战，从“青年军人”与“民族主义文学者”看来，并非驱同国人民互相残杀，却是外国人在打别一外国人，两个国度，两个民族，在战地上一到夜里，自己就觉得皮色变白，鼻梁加高，成为拉丁民族的战士，站在野蛮的非洲了。那就无怪乎看得周围的老百姓都是敌人，要一个一个的打死。法国人对于非洲的阿拉伯人，就民族主义而论，原是不必爱惜的。仅仅这一节，大一点，则就明了中国军阀为什么做了帝国主义的爪牙，来毒害屠杀中国的人民，那是因为他们自己以为是“法国的客军”的缘故；小一点，就说明中国的“民族主义文学家”根本上只同外国主子休戚相关，为什么倒称“民族主义”，来蒙混读者，那是因为他们自己觉得有时好像拉丁民族、条顿民族了的缘故。

第二个例子是：

作者——考据中外史传之后，接着又写了一篇较切“民族主义”这个题目的剧诗，这回不用法兰西人了，是《黄人之血》(《前锋月刊》七号)。

这剧诗的事迹，是黄色人种的西征，主将是成吉思汗的孙子拔都元帅，真正的黄色种。所征的是欧洲，其实专在斡罗斯（俄罗斯）——这是作者的目标；联军的构成是汉、鞑靼、女贞、契丹人——这是作者的计划，一路胜下去，可惜后来四种人不知“友谊”的要紧和“团结力量”，自相残杀，竟为白种武士所乘了——这是作者的讽喻，也是作者的悲哀。

但我们且看这黄色军的威猛和恶毒罢——

恐怖呀，煎着尸体的沸油；
可怕呀，遍地的腐骸如何凶丑；

死神捉着白姑娘拼命地搂；
美人螓首变成狞猛的髑髅；
野蛮般的生番在故宫里蛮争恶斗；
千年的棺材泄出它凶秽的恶臭；
十字军战士的脸上充满了哀愁；
铁蹄践着断骨，骆驼的鸣声变成怒吼；
上帝已逃，魔鬼扬起了火鞭复仇；
黄祸来了，黄祸来了！
亚细亚勇士们张大吃人的血口。

这德皇威廉因为要鼓吹“德国德国，高于一切”而叫的“黄祸”，这一张“亚细亚勇士们张大”的“吃人的血口”，我们的诗人却是对着“斡罗斯”，就是现在无产者专政的第一个国度，以消灭无产阶级的模范——这是“民族主义文学”的目标；但究竟因为是殖民地顺民的“民族主义文学”，所以我们的诗人所奉为首领的，是蒙古人拔都，不是中华人赵构，张开“吃人的血口”的是“亚细亚勇士们”，不是中国勇士们，所希望的是拔都的统驭之下的“友谊”，不是各民族间的平等的友爱——这就是露骨的所谓“民族主义文学”的特色，“但也是青年军人的作者的悲哀”（同上书）。

所谓民族主义文学经鲁迅的如火之笔一照耀，就成了这样一副尊容。这尊容偏要对革命文学表示轻蔑和愤怒，在大众眼中是何等可怜，何等可笑！

无产阶级文学和民族主义文学的论战，正是当时国内社会斗争与政治敌对的反映。正在此时，落后的小资产阶级对无产大众表示极大的恐惧与怀疑（进步的小资产阶级则已和无产大众携手），他们固然有时表示不满于现状，但极不愿看见彻底的民主革命威胁现存的社会秩序，他们的恋旧情绪淹没了他们的“革新”愿望。他们畏惧土地革命和反帝革命的锋芒，甚于畏惧地主与资产阶级的联合轧铄。当革命的浪花一沾湿了自己的衣冠，他们就立刻显示歇斯脱理的狼狈，表演“几乎无事的悲剧”。这种顺民式的小资产阶级的心理反映在文艺上，就出现了“第三种人”的文学。所谓第三种人，就是畏忌无产阶级文学的勃兴，而故意以超然于政治之外的乔装的“公正”态度傲视一切文人，他们的“超然”面貌实际上掩盖不了其袒护旧社会秩序，进攻工农革命的本来面貌，他们以为自己所从事的，是纯正的永久的文艺，而无产阶级文学不过是“没有艺术价值的叫嚣”或者是“口号标语文学”，“左翼”作家全是“左而不作”。这些“第三种人”明明继承了过去纯文艺派（“为文艺而文艺”派）的衣钵、不过是把过去住在“艺术之宫”里的绅士文学用改头换面的方式加以复述罢了。鲁迅曾经反对过“费厄泼赖”，现在他又发扬此种精神，打击“第三种人”文学。“第三种人”是否认文学和阶级与政治有关的，鲁迅就依据马克思主义的阶级学说予以无情的批判：

> 其实，这“第三种人”的“搁笔”，原因并不在“左翼”批评的严酷。真实原因的所在，是在做不成这样的“第三种人”，做不成这样的人，也就没有了第三种笔，搁与不搁，还谈不到。
>
> 生在有阶级的社会里而要做超阶级的作家，生在战斗的时代而要离开战斗而独立，生在现在而要做给予将来的作品，这样的人，实在也是一个心造的幻影，在现实世界上是没有

的。要做这样的人，恰如用自己的手拔着头发，要离开地球一样，他离不开，焦躁着，然而并非因为有人摇了摇头，使他不敢拔了的缘故。

所以虽是“第三种人”，却还是一定超不出阶级的，苏汶先生就先在预料阶级的批评了，作品里又岂能摆脱阶级的利害；也一定离不开战斗的，苏汶先生就先以“第三种人”之名提出抗争了，虽然“抗争”之名又为作者所不愿受，而且也跳不过现在的，他在创作超阶级的，为将来的作品之前，先就留心于“左翼”的批判了。

这确是一种苦境。但这苦境，是因为幻影不能成为实有而来的。即使没有“左翼”文坛作梗，也不会有这“第三种人”，何况作品。但苏汶先生却又心造了一个横暴的“左翼”文坛的幻影，将“第三种人”的幻影不能出现，以至将来的文艺不能发生的罪孽，都推给它了。(《论第三种人》)

“第三种人”抱着歇斯脱理的错觉与偏见，以为“左翼”作家是把一切骂倒，不需要同路人，他们把文坛的荒芜归罪于“左翼”文学家的排外，甚至长吁短叹；说他们之所以不敢写作，是深恐一写出来，就有被“左翼”作家大骂的危险。鲁迅正告他们：

“左翼”作家并不是从天上掉下来的神兵，或国外杀进来的仇敌，他不但要那同走几步的“同路人，还要招致那站在路旁看看的看客也一同前进”（同上）。

“第三种人”一向自命为无所偏倚的超然派，然而实际上，他们是在自觉地或不自觉地阻挠革命运动，不管他们的主观愿望是怎样，他们在客观上是帮忙了当时开倒车的力量，作了围剿革命文化的外卫。鲁迅戳破了他们的“超然”，写道：

所谓“第三种人”，原意只是说：站在甲乙对立或相斗之外人。但在实际上，是不能有的。人体有胖和瘦，在理论上，是该能有不胖不瘦的第三种人的，然而事实上却并没有，一加比较，非近于胖，就近于瘦。文艺上的“第三种人”也一样，即使好像不偏不倚罢，其实是总有些偏向的，平时有意的或无意遮掩起来，而一遇切要的事故，它便会分明的显现。

反映着落后小资产阶级的苦闷情绪的，除第三种人而外，还有两种类型：一种是以“革命小贩”的姿态跳跃在文坛上，对革命文学放放暗箭，竭力要化为“第三种人”的文艺小丑，他们或者对“左翼”作家造些无聊的谣言，或者“揭起小资产阶级的文学之旗”招摇过市。但是他们引为痛苦的是虽是“中立”于左右之间，却遭到“左右夹攻”。鲁迅在答《杨村人的公开信》中曾经描绘了这一类型的革命小贩的嘴脸：

既从革命阵线上退回来，为辩护自己，做稳“第三种人”起见，总得有一点零星的忏悔，对于统治者，其实是颇有些益处的，但竟还至于遇到“左右夹攻的当儿”者，恐怕那一方面，还嫌先生门面太小的缘故罢，这和银行雇员的看不起小钱店伙计一样的。先生虽然觉得抱屈，但不信“第三种人”的存在不独是“左翼”，却因先生的经验而益明了，这也是一种很大的功德。

平心而论，先生是不算失败的，虽然自己觉得被“夹攻”，但现在只要没有马上杀人之权的人，有谁不遭人攻击。生活当然是辛苦的罢，不过比起被杀戮，被囚禁的人们来，真有天渊之别；文章也随处能够发表，较之被封锁、压迫、禁止的作者，也自由自在得远了。和阔人骁将比，那当然还差得远，这就因为先生并不是奸商的缘故。这是先生的苦处，也是先生的好处。

另外一种类型，就是自命风雅提倡幽默“寄沉痛于闲适”的“雅人”，他们不但厌恶劳苦大众的文化思想，连白话文也加以反对。他们用“幽默”、“性灵”、“语录体”之类的清玩，来慰藉苦闷得发慌的小市民，蔑视一切有“方巾气”的“俗人”。他们甚至不屑自命为超然于左右之外的文人，而只是一味把残酷的现实化作轻盈的一笑。鲁迅揭穿了“幽默”大师及其门墙桃李所提倡的幽默的本质，他说：

但要明白，首先就要辨别，“幽默处俏皮与正经之间”(语堂语)，不知俏皮与正经之辨，怎么会知道这“之间”？我们虽挂孔子的门徒招牌，却是庄子的私塾弟子。“彼亦一是非，此亦一是非”，是与非不想辨；“不知周之梦为蝴蝶欤，蝴蝶之梦为周欤？”梦与觉也分不清。生活要混沌，如果凿起七窍来呢？庄子曰：“七日而混沌死。”

这如何容得感叹号？

而且也容不得笑。私塾的先生，一向就不许孩子愤怒、悲哀，也不许高兴。皇帝不肯笑，奴隶是不准笑的。他们会笑，就怕他们也会哭，会怒，会闹起来。更何况坐着有版税可抽，而一年之中，竟“只闻其骚音、怨音以及刻薄刁毒之音”呢？

这可见“幽默”在中国是不会有的。

这也可见我对于“论语”的悲观，并非神经过敏。有版税的尚且如此，还能希望那些炸弹满空、河水漫野之处的人们来说“幽默”么？

高调性灵的幽默派一面加工制造“处俏皮与正经之间”的“幽默”，一面提倡与“方巾气”为敌的小品文，他们赞叹袁中郎、王季重诸人的小品文，并且刻意模仿。鲁迅斥责了这种逆流的倾向，但他并不抹煞明袁中郎等的作品的文学价值，他指出袁中郎等也曾写过大有“方巾气”的文章。提倡语录体者实际上是画歪了他们的面庞：

人古而事近的，就是袁中郎。这一班明末的作家，在文学史上，是自有他们的价值和地位的。而不幸被一群学者们捧了出来，颂扬、标点、印刷，“色借、日月借、烛借、青黄借、眼色无常；声借、钟鼓借、枯竹窍借……”借得他一塌糊涂，正如在中郎脸上，画上花脸，却指给大家看，啧啧赞叹道："看哪，这多么'性灵'呀！"对于中郎的本质，自然是并无关系的，但在未经别人将花脸洗清之前，这"中郎"总不免招人好笑，大触其霉头。

鲁迅以"论时事不留面子，砭痼弊常取类型"的战斗姿态转战于文坛上，他一面对"黑暗的主力"做大声抗议，为力争自由与保障文化而呐喊，一面对社会上与文化界的丑恶与病态做顽强的斗争，为造成健康的民族风气而工作。他用无产大众的坚实的进步的意识形态对抗地主绅士，资产阶级和小市民的朽腐的颓废的意识形态，在文坛上经过他的铁笔扫荡的，有刽子手主义与僵尸主义的论客，有"帮闲"与"帮凶"的文士，有鄙视大众自以为公正的"正人君子"，有自命超然于左右之外而实际在帮忙文化围剿的"中间文人"，有"寄沉痛于闲适"、"洁身自好"的雅人，有提倡诵读古书的遗老遗少，有买空卖空的文化市侩，有东倒西歪的革命小贩，……这一切斗争决不能看做他对于某些人的个人攻击，他是在对中国没落的腐败的社会势力猛掷投枪。收集在《二心集》、《伪自由书》、《南腔北调集》、《准风月谈》、《花边文学》、《且介亭杂文》（共三集）等书内的杂感文，大都是这一时期暴露和攻击社会、政治、文化的黑暗与时弊的。

鲁迅信任大众的正确与力量，他与大众一同呼吸，一同歌唱。大众的苦战和受难使他毅然擎起保卫工农革命的战旗，攻击一切摧残大众破坏革命的暴虐与助虐。他坚决相信，未来是一定属于中国人民大众的。然而他同时指出了，革命乃是长期的艰苦的事业，因此他大声警告同一队伍中的战士："对于旧社会和旧势力的斗争，必须坚决，持久不断，而且注重实力。"（《二心集》）并且从各方面来推动和充实革命事业，"能做事的做事，能发声的发声，有一分热，发一分光"。他不断教育文化运动的青年干部，培养劳苦大众的战斗实力。在大革命后，他为哺育大众文化，一方面提出积极的建设方法，一面攻击毒害大众的愚民势力。语文拉丁化（新文字）、连环图画、木刻、通俗文学等……在他都不是当做纯学术性的运动，而是当做大众的精神食粮而起来号召的。这里我要特别介绍鲁迅对于新文字运动的劳绩，从这劳绩中，不难窥见他对于整个大众文化的见解与态度。

对于语文革命运动的推进，从“五四”以来，没有别人再比鲁迅更为坚决，更为彻底的。在“五四”时代提倡文学革命的学者文士，反映着资产阶级在政治上的荏弱性，一到了“五四”的文化革命的暴风雨过去之后，便停止前进的步伐，甚至向后大开倒车；有的以整理国故为职志，有的以国语文学为极境，有的回返到古文的怀抱，有的在提倡公安、竟陵的语录体。鲁迅呵斥了这一切妥协的后退的倾向。他高举语文革命的战旗，团结一切文化战士和有为青年，继续进军。他并不以白话文的胜利为满足，他始终着眼于大众的文化利益，反对少数人对于语文知识的垄断。他痛愤语文复古运动，坚定主张文字口语化。一九二六年他就明确表示了对于语文大众化的思想：

记得初提倡白话的时候，是得到各方面剧烈的攻击的。后来白话渐渐通行了，势不可遏，有些人便一转而引为自己之功，美其名曰“新文化运动”。又有些人便主张白话不妨作通俗之用；又有些人却道白话要做得好，仍须看古书。前一类早已二次转舵，又反过来嘲骂“新文化”了；后二类是不得已的调和派，只希图多留几天僵尸，到现在还不少。我曾在《杂感》上掊击过的。

新近看见一种上海出版的期刊，也说起要做好白话须读好古文，而举例为证的人名中，其一却是我。这实在使我打了一个寒噤。别人我不论，若是自己，则曾经看过许多旧书，是的确的，为了教书，至今也还在看。因此耳濡目染，影响到所做的白话上，常不免流露出它的字句，体格来。但自己却正苦于背了这古老的鬼魂，摆脱不开，时常感到一种使人气闷的沉重。就是思想上，也何尝不中些庄周、韩非的毒，时而很随便，时而很峻急。孔、孟的书我读得最早，最熟，然而倒似乎和我不相干。大半也因为懒惰罢，往往自己宽解，以为一切事务，在转变中，是总有多少中间物的。动植之间，无脊椎和脊椎动物之间，都有中间物；或者简直可以说，在进化的链子上，一切都是中间物。当开首改革文章的时候，有几个不三不四的作者，是当然的，只是这样，也需要这样。他的任务，是在有些警觉之后，喊出一种新声，反因为从旧垒中来，情形看得较为分明，反戈一击，易制强敌的死命。但仍应该和光阴偕逝，逐渐消亡，至多不过是桥梁中的一木一石，并非什么前途的目标、范本。跟着起来便该不同了，倘非天纵之圣，积习当然也不能顿然荡除。但总得更有新气象。以文字论，就不必更在旧书里讨生活，却将活人的唇舌作为源泉，使文章更加接近语言，更加有生气。至于对于现在人民的语言的穷乏欠缺，如何救济，使它丰富起来，那也是一个很大的问题，或者也须在旧文中，取得若干资料，以供使役，但这并不在我现在所要说的范围以内，姑且不论。

后来，鲁迅对于语文改革有了更进步的见解，他放弃了“在旧文中取得若干资料，以供役使”的不肯定的思想（他反对从《庄子》、《文选》中寻求语汇就是一个明证）。他看清了大众有自己丰富的语汇，更加坚定了他的“不必更在旧书里讨生活，却将活人的唇舌作为源泉，**使文章更加接近语言，更加有生气**”的主张。在香港的一篇演讲中，他重新号召了反对文言的斗争：

> 我们不必再去费尽心机，学说古代的死人的话，要说现代的活人的话；不要将文章看做古董，要做容易懂得的白话的文章。然而单是文学革新是不够的，因为腐败思想，能用古文做，也能用白话做。所以后来就有人提倡思想革新。（《三闲集·无声的中国》）

鲁迅重振白话文学反对古文的号召自然是针对当时的时弊来说的。第一，“五四”时代的文学革命并没有获得决定的胜利，古文依然猖獗地在反攻，在复辟。第二，“五四”时代的许多文学革命健将已经放弃了自己的阵地，鄙视白话文的邪风仍在吹拂中国的文化生活。第三，当时华南特别是香港是保存古文的最反动的堡垒，洋大人的尊孔复古助长了一般高等的华人进攻语文革新运动的气焰。然而鲁迅的重振白话文是有条件的，他不是在单纯地提倡白话文，而主张用思想革新来补语文革新之不足，使语文的内容和形式一同革新，一同进步。同时他并不认为白话文是中国语文革命的止境。就在同一年中，他说过这样的话：

> 古文已经死掉了，**白话文还是改革道上的桥梁**，因为人类还在进化。**便是文章也未必有万古不磨的典则**。(《华盖集续编·古书与白话》)

正因为白话文是“改革道上的桥梁”，所以完成白话文对于文言的彻底胜利是非常必要的（注意：鲁迅说“古文已经死掉了”，并非指古文已经消灭了，而是说，古文已经成了不适合现代需要的陈尸）。但也因为白话文不过是过渡的“桥梁”，所以它并非“万古不磨”的语文形态；代替白话文而兴的，还有更高级、更完密的新语文；这就是鲁迅应用在语文问题上的不自觉的辩证法。

什么是比白话文更高级的语文形态呢？这问题的答案在一九三四年由他明白提出来了，那就是中国语文拉丁化——新文字：

> 倘要中国的文化一同向上，就必须提倡大众语、大众文，而且书法必须拉丁化。(《且介亭杂文集·门外文谈》)

新文字是扫除文盲把知识交给大众最锐利的工具，只有用它来代替汉字，才能解除锢禁大众的精神镣铐：

> 比较，是最好的事情。当没有知道拼音字之前，就不会想到象形字的难；当没有看见拉丁化的新文字之前，就很难明确地断定以前的注音字母和罗马字拼法，也还是麻烦的，不合实用，也没有前途的文字。
>
> 方块汉字真是愚民政策的利器，不但劳苦大众没有学习和学会的可能，就是有钱有势的

特权阶级，费时一二十年，终于学不会的也很多。最近，宣传古文的好处的教授，竟将古文的句子也点错了，就是一个证据——他自己也没有懂，不过他们装作懂得的样子，胡说八道，欺骗不明真相的人。

所以，汉字也是中国劳苦大众身上的一个结核，病菌都潜伏在里面，倘不首先除去它，结果只有自己死。先前也曾有过学者，想出拼音字来，要大家容易学，也就是更容易教训，并且延长他们服役的生命，但那些字都还很繁琐，因为学者总忘不了官话、四声，以及这是学者创造出来的字，必须有学者的气息。这回的新文字却简易得远了，又是根据于实生活的，容易学，可以用这对大家说话，听大家说话，明白道理，学得技艺，这是劳苦大众自己的东西，首先的唯一的活路。

鲁迅认为"中国现在等于并没有文字"（《且介亭杂文集·中国语文的新生》），所以提倡新文字，乃是救治

“无声的中国”的唯一途径。把新文字同汉字以及别的拼音文字——注音字母与国语罗马字一比较之后，他断定了新文字是真正的大众的文字：

> 新文字却没有这空谈的弊病，说得出，就写得来，它和民众是有联系的，不是研究室或书斋里的清玩，是街头巷尾的东西；它和旧文字的关系轻，但和人民的联系密，倘要大家都能发表自己的意见，收获切要的知识，除它以外，确没有更简易的文字了。(《论新文字》)

鲁迅对于语文有最正确最深刻的见解，他认为语文革命离开了大众的实际生活，完全是空谈，因此他指出“几个读书人在书房里商量出来的方案，大抵是行不通的”。国语罗马字之所以没有前途，就因为不是着眼于大众的实际需要，而只是少数学者构想出来的东西；它并没有替大众彻底解除烦难，而依然割弃不了旧的不合理的汉字传统。

反对新文字的人，指出语文拉丁化妨害了中国的统一，鲁迅对于这种驳难作了透彻的答复：

> 现在的中国，本来还不是一种语言所能统一，所以必须另照各地方的言语来拼，待将来再图沟通。反对拉丁化文字的人，往往将这当做一个大缺点，以为反而使中国的文字不统一了，但他却抹煞了方块汉字本来为大多数中国人所不识，有些知识阶级也并不真识的事实。

他处处念念不忘的，是大众的生活和利益，他从大多数人的实际需要出发，所以坚决反对少数人"为语文而语文"的传统偏见。繁难的汉字帮助封建集团与地主资产阶级的知识独占制度，剥夺了大众"互通声气"的权利。说汉字是统一中国的唯一工具的人，明明无视了中国绝大多数民众和汉字绝缘的事实。至于新文字，虽然不能一下子促进中国语文的统一，但它在发展过程中，是可以逐渐打破大众的生活隔离状态，终于引导到民族统一的境界的：

> 我的意思是：在开首的启蒙时期，各地方各写它的土话，用不着顾到和别地方意思不相通。当未用拉丁写法之前，我们的不识字的人们，原没有用汉字互通着声气，所以新添的坏处是一点也没有的。倒有新的益处，至少是在同一语言的区域里，可以彼此交换意见，吸收知识了。

但鲁迅并不主张用“听其自然”的态度来对付语文运动，他以为要达到中国语文统一的最后目的，也须加上人工的促进力量。

> 几个读书人在书房里商量出来的方案，固然大抵行不通，但一切都听其自然，却也不是好办法。现在在码头上、公共机关中、大学校里，确已有着一种好像普通话模样的东西；大家说话，既非“国语”，又不是京话，各各带着乡音、乡调，却又不是方言，即使说的吃力，听的也吃力，然而总归说得出，听得懂。如果加以整理，帮它发达，也是大众语中的一支，说不定

> 将来还简直是主力。我说要在方言里“加入新的去”，那“新的”的来源就在这地方。待到这一种出于自然，又加人工的话一普遍，我们大家语文就算大致统一了。

鲁迅是最坚决主张大众文化的战士，但他并不低估大众接受新文化的能力。他反对无条件的“迎合大众”，使大众永远停滞于低级文化水准的办法，他说：

> 读书人常常看轻别人，以为较新、较难的字句，自己能懂，大众却不能懂，所以为大众计，是必需彻底扫荡的：说话作文，越俗，就越好。这意见发展开来，他就要不自觉的成为新国粹派。或则希图大众语文在大众中推行得快，主张什么都要配大众的胃口，甚至于说要“迎合大众”，故意多骂几句，以博大众的欢心。这当然自有他的苦心孤诣，但这样下去，可要成为大众的新帮闲的。说起大众来，界限宽泛得很，其中包括各式各样的人，但即使“目不

识丁”的文盲，由我看来，其实也并不如读书人所推想的那么愚蠢。他们是要知识，要新的知识，要学习，能摄取的。

在别一处，他也表示过同样的意思，他以为要丰富中国文学的语汇，即使在写给（或译给）大众看的文字里，也不妨加些新的字眼，新的语法。他说：

我还以为即使为乙类读者（按：即略识字的大众）而译的书，也应该时常加些新的字眼，新的语法在里面，但自然不宜太多，以偶尔遇见，而想想或问一问，就能懂得为度，必须这样，群众的言语才能够丰富起来。(《二心集·关于翻译的通信》)

鲁迅用大众本位的观点宣扬和推进一切文化启蒙运动，在论及连环图画的时候，他表示过这样的意见：

但要启蒙，即必须能懂。懂的标准当然不

能俯就低能儿或白痴，但**应该着眼于一般的大众**。(《且介亭杂文集·连环图画琐谈》)

他主张采取旧形式来提倡使大众易懂的艺术与文学。他深刻地了解旧形式的合理采取乃是新形式的发端，也就是旧形式的蜕变。但此种采取，“并非断片的古董的杂陈，必须溶化于新作品中。……恰如吃用牛羊，弃去蹄毛，留其精粹，以滋养及发达新的生体，决不因此就会‘类乎’牛羊的”（见《且介亭杂文集·论旧形式的采用》)。“旧形式是采取，必有所删除，既有删除，必有增益，这结果是新形式的出现，也就是变革。”（同上）他在这里道出了他接受中国文化遗产的正确方法。他之所以能够成为中国优秀的文化传统的最合式的继承者，就在于他能够对于旧的文化能够有所删除，也有所增益。他善于运用新与旧的历史甄别法来处理生动的文化史。

鲁迅所号召的大众文化运动，是他整个的思想活动和政治战斗的一个组成部分，他并不是为大众文化而提倡大众文化。在力争自由与解放的苦战环境中，大众的文化生活是附属于大众的政治利益的。大众要战取胜利，在消极方面，必须解除妨碍他们前进的精神锁链，在积极方面，更要获得对于现实的正确认识。而这除了展开大众的启蒙运动，帮助大众武装他们的头脑而外，没有别的法子。在最后六七年中，鲁迅比以前更奋发更坚韧地献身于大众的自觉运动中，是应当拿当时整个革命的紧迫需要来说明的。

“九·一八”的炮声对于中国民族是一个残暴的打击，但也是对于中国人民一个沉痛的教训。侵略者的凶残横暴，不抵抗者的奴颜婢膝，剥削者的荒淫无耻，人民大众的呻吟痛楚，革命队伍的沉着苦斗，正义之士的严肃工作……这一切可悲、可愤、可歌、可泣的图景，把衰朽与新生、正义与野蛮、高洁与卑污、进步与倒退表显得格外分明了。中国人民或者是团结起来，战取胜利的生存，或者是低头退缩，选择奴隶的前途，其间没有徘徊的余地。鲁迅大声号召全国人民起来接受决定中国民族生死存亡的正义战斗。然而，当时弥漫在中国大部的土地上的，是卑屈的不抵抗主义，它与中国传统的奴隶主义结合起来，毒化了中国的民族生活，遏阻了中国的民族战斗。鲁迅对这种亡国主义的危险倾向予以锐利的打击。他颂扬青年的救国运动，斥责压迫爱国青年的无耻罪行：

> 只要略有知识的人就都知道，这回学生的请愿，是因为日本占据了辽、吉，南京政府束手无策，单会去哀求国联，而国联却正和日本是一伙。读书呀，读书呀，不错，学生是应该读书的，但一面也要大人老爷们不至于葬送土地，这才能够安心读书。报上不是说过，东北大学逃散，冯庸大学逃散，日本兵看见学生模样的就枪毙吗？放下书包来请愿，真是已经可怜之至。不道国民党政府却在十二月十八日通电各地军政当局文里，又加上他们“捣毁机关，阻断交通，殴伤中委，拦劫汽车，攒击路人及公务人员，私逮刑讯，社会秩序，悉被破坏”的罪名，而且指出结果，说是“友邦人士，莫名惊诧，长此以往，国将不国”了！
>
> 好个“友邦人士”！日本帝国主义的兵队

强占了辽、吉，炮轰机关，他们不惊诧；阻断铁路，追炸客车，捕禁官吏，枪毙人民，他们不惊诧。中国国民党治下的连年内战，空前水灾，卖儿救穷，砍头示众，秘密杀戮，电刑逼供，他们也不惊诧。在学生的请愿中有一点纷扰，他们就惊诧了！

好个国民党政府的“友邦人士”！是些什么东西！

即使所举的罪状是真的罢，但这些事情，是无论哪一个“友邦”也都有的，他们的维持他们的“秩序”的监狱，就撕掉了他们的“文明”的面具。摆什么“惊诧”的臭脸孔呢？

可是“友邦人士”一惊诧，我们的国府就怕了“长此以往，国将不国”了，好像失去了东三省，党国倒愈像一个国，失了东三省谁也不响，党国倒愈像一个国，失了东三省只有几个学生上几篇“呈文”，党国倒愈像一个国，可以博得“友邦人士”的夸奖，永远“国”下去一样。

他对屠杀学生的事实表示了正义的抗议：

> 我们还记得，自前年冬天以来，学生是怎么闹的，有的要南来，有的要北上，南来北上，都不给开车。待到得首都，顿首请愿，却不料“为反动派所利用”，许多头都恰巧“碰”在刺刀和枪柄上，有的竟“自行失足落水”而死了，验尸之后，报告书上说道“身上五色”。我实在不懂。谁发一句质问，谁提一句抗议呢？有些人还笑骂他们，还要开除，还要告诉家长，还要劝进研究室。一年以来，总算安静了。但不料榆关失了守，上海还远，北平却不行了，因为连研究室也有了危险。住在上海的人们想必记得的，去年二月的暨南大学、劳动大学、同济大学……研究室里还坐得住么？

攘外必先安内论者同时是“对于外敌非爱和平不可”的敦睦邦交论者（《伪自由书·观斗》），他们的“新花样的文章，”到后来只剩了“安内而不必攘外”，“不如迎外以安内”，“外就是内，本无可攘”这三种（《伪自由书·文章与题目》），因此他们对于外敌是用讲信修睦的笑脸相迎，而对于“内敌”则用偃文尚武的拳脚相向，所谓“精诚团结，共赴国难”，不过是“频年恶战”之余的头儿“忽而误会消释了，忽而杯酒言欢了，忽而共同御侮了，忽而立誓报国了”（《观斗》），他们何尝愿意停止对内的“血的游戏”。鲁迅对内战表示了极大的憎恶：

“还有更要紧的一层，是我们正由‘不抵抗’以至‘长期抵抗’而入于‘心理抵抗’的时候，实际上恐怕一时未必和外国打仗，那时战士技痒了，而又苦于英雄无用武之地，不知道会不会炸弹倒落在手无寸铁的人民头上来的？

所以还得战战兢兢的陈明一种愿望，是——

莫杀人民。”

对外的战略是“诱敌深入”，而对内的战略是“流血不辞”。有一家题名“救国”的报纸就曾吐露了这内外战略的真谛。该报公然主张“浸使为战略关系，须暂时放弃北平，以便引敌深入……应严厉责成张学良，以武力制止反对运动，虽流血亦所不辞”，神圣的领土是可以在“诱敌深入”的战略之下拱手让与“友邦”的。但是人民如果敢于起来反对这种“战略”呢，就得准备练习在血海中游泳。鲁迅用蘸着悲愤的笔写出了爱国人民的心声：

虽流血亦所不辞，勇敢哉战略大家也。

血的确流过不少，正在流的更不少，将要流的还不知道有多多少少。这都是反对运动者的血。为着什么？为着战略关系。(《伪自由书·战略关系》)

反对屠杀爱国人民的抗议正是反对延长内战的抗议的一翼，鲁迅就这样对刀口向民、笑口迎敌的老爷挥动了他的笔斧。但当时不仅有对外“诱敌深入”、对内“不辞流血”的“安内不必攘外”者，而且有祈求敌人“征服中国民族的心”的“以夷制华者”。胡适就发出了这样的一套妙论。他说：“日本军阀在中国所造成的仇恨，到今日已颇难消除……日本决不能用暴力征服中国：

日本只有一个方法可以征服中国，即悬崖勒马，彻底停止侵略中国，反**过来征服中国民族的心。**”这就是劝告日本侵略者用糖果来代替刀棒，用“王道”来代替“霸道”。胡适博士的献策实在落了空，因为事实上，以侵略中国为唯一出路的“友邦”除了日夜梦想征服中华民国的全土以外，也在不断地打算“征服中华民族的心”，要不然，他向中国人民宣扬王道乐土、提倡尊孔读经之类的特务工作就没有丝毫意义。鲁迅听不惯没有骨头的士大夫的乞怜哀音，他用中国民族的自信火光照彻了胡适们所散布的毒菌：

> 这据说是“征服中国的唯一方法”。不错，古代的儒教军师，总说“以德服人者王，其心诚服也”。胡适博士不愧为日本帝国主义的军师。但是，从中国小百姓方面说来，这却是出卖灵魂的唯一秘诀。中国小百姓实在“愚昧”，原不懂得自己的“民族性”，所以他们一向会仇恨，如果日本陛下大发慈悲，居然采用胡博士的条陈，那么，所谓“忠孝仁爱，信义和平”

的中国固有文化，就可以恢复：——因为日本不用暴力而用软功的王道，中国民族就不至于再生仇恨，因为没有仇恨，自然更不抵抗，因为更不抵抗，自然就更和平，更忠孝……中国的肉体固然买到了，中国的灵魂也被征服了。

鲁迅以“第一个中国人民”的雄姿猛攻卑躬屈膝的奴才事大主义，他毫不动摇地确信着，中国人民并不像亡国士大夫所想象的那样没有出息，相反地，最有坚决的自信，最能代表中华民族的真实气概的，乃是咬紧牙关苦斗不息的大众；他们的心是绝对不能征服的，他们也决不让民族敌人来“征服中华民族的心”。鲁迅坚持战斗的民族自信力来反对卑劣的民族“自欺力”，坚持顽强的民族自尊心来反对可耻的民族自卑心。他深信苦战着的中国人民大众并未失掉自信力，就因为他们不但要生存，而且要合理地生存：

中国人现在是在发展着“自欺力”。

“自欺”也并非现在的新东西，现在只不过日见其明显，笼罩了一切罢了。然而，在这笼罩之下，我们有并不失掉自信力的中国人在。

我们从古以来，就有埋头苦干的人，有拼命硬干的人，有为民请命的人，有舍身求法的人，……虽是等于为帝王将相作家谱的所谓“正史”，也往往掩不住他们的光耀，这就是中国的脊梁。

这一类的人们，就是现在也何尝少呢？他们有确信，不自欺；他们在前仆后继的战斗，不过一面总在被摧残，被抹杀，消灭于黑暗中，不能为大家所知道罢了。中国人失掉了自信力，用以指一部分则可，倘若加于全体，那简直是诬蔑。

然而，尽管在中国存在着富有坚强的自信力、严肃工作的人民大众，在另一面是横溢着荒淫与无耻的浊流。鲁迅在《田军作八月的乡村》序文中就曾沉痛地写道：

> 爱伦堡论法国的上流社会文学家之后，他说，此外也还有一些不同的人们：“教授们无声无息地在他们的书房里工作着。实验X光线疗法的医生死在他们的职务上，奋身去救自己的伙伴的渔夫悄然沉没在大洋里面。……一方面是庄严的工作，另一方面却是荒淫与无耻。

这么两句，真也好像说着现在的中国。然而中国是还有更其甚的呢？手头没有书，记不清见于那里的了。也许是已经汉译了的日本箭内互氏的著作罢，他曾经一一记述了宋代的人民怎样为蒙古人所淫杀、俘获、践踏和奴使。然而南宋的小朝廷却仍旧向残山剩水间的黎民施威，在残山剩水间行乐；逃到那里，气焰和奢华就跟到那里，颓废和贪婪也跟到那里。“若要官，杀人放火受招安；若要富，跟着行在卖酒醋。”这是当时的百姓提取了朝廷的精华的结语。

人民在欺骗和压制之下，失了力量，哑了声音，至多也不过有几句民谣。“天下有道，则庶人不议。”就是秦始皇，隋炀帝他会自承无道么？百姓就只好永远钳口结舌，相率被杀，被奴。这情形一直继续下来，谁也忘记了开口，但谁也不能开口。即以前清末年而论，大事件不可谓不多了；鸦片战争、中法战争、中日战争、戊戌政变、义和拳变、八国联军，以至民元革命。然而我们没有一部像样的历史的著作，更不必说文学作品了。“莫谈国事”，是我们做小民的本分（《且介亭杂文二集·田军作八月的乡村》序）。

鲁迅的这段序文不是在背诵历史，而是明明描写当时中国的真情实景。“一方面是庄严的工作，另一方面却是荒淫与无耻”，这是时无分古今、地无分中外的历史黑白画。他把这黑白画明白地指给大众看，为的是鼓起大众争生存的敌忾和勇气。他相信大众是可由事实的教训得到觉悟的。因此在愤慨于中国内治的黑暗之余，鲁迅很坚定地宣布了他对于大众力量的确信：

“事实既然教训了这些，仅存的路，就当然使他们想到了自己的力量”（《南腔北调集·谈金圣叹》）。但是，当时最严重的“事实”，乃是日本帝国主义的节节进逼。特殊人物在竭力隐瞒和冲淡这种血淋淋的事实，不但自己在用膝盖代替拳头，而且要全中国的人都在“逆来顺受”中养成绵羊般的性格。可是，在血腥的暴风雨中，为特殊人物所栽植的顺民主义究竟不能生根。鲁迅大声警告国人，民族敌人的屠刀在跟随不抵抗主义的脚迹而不断深入。当北平当局在“维持治安”的名目下压迫民众的时候，鲁迅提出了这样的一个使人战栗的问题：“看吧，妨碍了北平的治安的，是日军呢还是人民？”这在一九三三年三月间写出的预言很快就由血的事实得到了确证（见《南腔北调集·守常全集题记》）。

民族危机的日益加深，使鲁迅的笔锋成为号召民族革命战争最响亮的号角，他倾吐了人民大众蕴结在心头的真实意见，继续痛击安内急于攘外论与逆来顺受论之类的亡国主义，揭破“以华制华”和“共同防共”的阴谋（见《天上与地下》、《我要驱人》等），并且高举了抗日民族统一战线的大旗：

> **目前的革命政党向全国人民所提出的抗日统一战线的政策，我是看见的，我是拥护的，我无条件地加入这战线，那理由就因为我不但**

是一个作家，而且是一个中国人，所以这政策在我是认为非常正确的。(《且介亭杂文末编·答徐懋庸并关于民族统一战线》)

他对于民族统一战线与抗日斗争有极正确极深刻的见解：

我以为文艺家在抗日问题上的联合是无条件的，只要他不是汉奸，愿意或赞成抗日，则**不论叫哥哥妹妹之乎者也**，或鸳鸯蝴蝶都无妨。但在文学问题上我们仍可以互相批判。有个作者又引例了法国的人民阵线，然而我以为这又是作者忘记了国度，**因为我们抗日人民统一战线比法国的人民阵线还要广泛得多**。(同上书)

新的口号的提出，不能看做革命文学运动的停止，或者说“此路不通”了。所以，决非停止了历来的反法西主义，反对一切反动者的血的斗争，而是将这斗争更深入、更扩大、更

> 实际、更细微曲折，将斗争具体化到抗日反汉奸的斗争，将一切斗争汇合到抗日反汉奸斗争这总流里去。(《论且介亭杂文附集·论现在我们的文学运动》)

鲁迅认为“我们抗日人民统一战线比法国的人民阵线还要广泛得多”，认为统一战线的口号是“将斗争具体化到抗日反汉奸的斗争”。这不但回答了那些反对抗日民族统一战线的安内急于攘外论者，而且纠正了那些误解民族统一战线的“左倾”幼稚病者与“右倾”机会主义者。就因为他坚信民族统一战线是挽救中国危亡的唯一出路，所以他愤怒斥责了托洛斯基派破坏民族统一战线的理论与行为：

> 你们的“理论”确比毛泽东先生们高超得多，岂但高超得多，简直一是在天上，一是在地下。但高超固然是可敬服的，无奈这高超又恰恰为日本侵略者所欢迎，则这高超仍不免要从天上掉下来，掉到地上最不干净的地方去。

因为你们高超的理论为日本所欢迎，我看了你们印出很整齐的刊物，就不禁为你们捏一把汗，在大众面前，倘若有人做一个攻击你们的谣言，说日本人出钱叫你们办报，你们能够洗刷得很清楚么？这决不是因为从前你们中曾有人跟着别人骂过我拿卢布，现在就来这一手以报复。不是的，我还不至于这样下流，因为我不相信你们会下作到拿日本人钱来出报攻击毛泽东先生们的一致抗日论。我们决不会的。我只要敬告你们一声，你们的高超的理论，将不受中国大众所欢迎，你们的所为有背于中国人现在为人的道德。

鲁迅不仅号召了抗日民族统一战线的建立，而且给予抗日爱国的群众以热情的鼓励和睿智的指导，在《几个重要问题》一文（此文未刊入《鲁迅全集》，以下是转引自汉夫作:《鲁迅与民族解放运动》）中，他指出“学生运动（指“一二·九”运动）比较以前进步得多”，因为青年学生“能够很清楚的认识横梗在民族解放斗争前程一切明明暗暗的敌人，他们也知道深入下层，体验他们所需要体验的生活，组织农民、工人，加紧推动这些民族解放斗争的主力军”。他直到临死，还不忘记民族解放运动和一切现实问题的关系。

鲁迅是一个坚定的社会主义者和国际主义者，然而这却不妨碍他同时是一个卓越的民族主义者和爱国主义者，因为他是半殖民地的被压迫大众的英明代言人，因为他保持了和中国无产大众及其政治代表最密切的接触。中国民族解放运动，在鲁迅及其战友的思想的照耀之下，无疑要成为全世界被压迫民族解放运动中最灿烂的一面旗帜。

从鲁迅的三十年的思想发展过程中，可以清楚地看到，这位巨人的战斗不屈和前进不息的不朽精神使他不断反映着和代表着中华民族的奋斗与进步。他的思想有流变，有增益，然而在其中却贯串着一根坚韧的赤线，这就是战斗的现实主义。

三联经典文库第二辑简目

《游击战教程》　明凡 / 著

《游击战术纲要》　陶剑青 / 编著

《汪精卫卖国的理论与实践》　钱俊瑞 / 著

《抗战以来》　韬奋 / 著

《陕行纪实》　楚云 / 著

《随军散记》　沙汀 / 著

《被日寇囚系半载记》　王研石 / 著

《倭营历险记》　房沧浪 / 著

《活跃的新西北》　田影 / 编著

《保卫华北的游击战》　刘清扬　陈北鸥等 / 著

《徐州突围》　《徐州突围》编委会 / 编

《沦亡的平津》　长江　小方等 / 著

《淞沪火线上》　胡兰畦等 / 著

《瞻回东战场》　长江　罗平 / 著

《东线的撤退》　胡兰畦等 / 著

《抗战中的西北》　徐盈 / 著

《鲁闽风云》　徐盈等 / 著

《西线生活》　西北战地服务团集体创作

《中国解放区见闻》　［美］福尔曼著 / 朱进译

《全面抗战论》　潘汉年 / 著

《日本的间谍》　范士白自述 / 尊闻译

《日本大陆政策的真面目》　国难资料编辑社 / 编

《民众动员论》　李公朴 / 著

《中国外交史》　钱亦石 / 编著

《太平洋军事地理》　蒋震华 / 著

《世界经济地理讲话》　思慕 / 著

《列强军力论》　［德］马克斯 · 威纳尔著 / 宾符　仲持　梅益等译

《近代国际关系史》　张铁生 / 著

《太平洋现势手册》　沈志远　石啸冲 / 编著

《近代世界政治史》　钱亦石 / 著

《从战争到和平——一九四五年的世界政治》　乔木 / 著

《战后日本问题》　思慕 / 著

《最近一年间的国际动态（1946.7–1947.6)》　《东北日报》社 / 编

《论政党》　翟放 / 著

《法与宪法》　韩幽桐 / 编著

《中华民国宪法刍议》　罗家衡 / 著

《民主 · 宪法 · 人权——作之民》　费孝通 / 著

《宪法论初步》　潘念之 / 著

《对反民主的抗争》　韬奋 / 著

《农村改进的理论与实际》　江恒源 / 著

《上海产业与上海职工》（上下）　　朱邦兴　胡林阁　徐声 / 合编

《陶行知教育论文选辑》　　陶行知著 / 方与严编

《中国通货膨胀论》　　杨培新 / 著

《中国及其未完成的革命》　　H·普拉特著 / 蒋天佐译

《中国的建设问题与人的训练》　　卢作孚 / 著

《论中国特殊性及其他》　　艾思奇 / 著

《中国经济问题讲话》　　钱俊瑞　徐雪寒　王渔邨　姜君辰　骆耕漠 / 合著

《中国经济的道路》　　许涤新 / 著

《中国财政之病态及其批判》　　孙怀仁 / 著

《官僚资本论》　　许涤新 / 著

《五四运动之史的评价》　　陈端志 / 著

《中国通史简编》（上下）　　中国历史研究会　范文澜 / 主编

《论文学的工农兵方向——读〈在延安文艺座谈会上的讲话〉》　雪苇 / 著

《中国近代史（上编　第一分册）》　　武波 / 编著

《文学百题》　　傅东华 / 编

《中国史学之进化》　　周谷城 / 著

《论民族形式问题》　　胡风 / 著

《论批评》　　荃麟等 / 著

《中国史纲》（第一卷上下、第二卷上下）　　翦伯赞 / 著

《近代中国思想学说史》（1–4）　　侯外庐 / 著

《中国政治思想史》（上下）　　吕振羽 / 著

《中国哲学史纲要》　　向林冰 / 著

《中国政治史讲话》　　钱亦石 / 著

《中国社会经济史纲》　　王渔邨 / 著

《新财政学大纲》　　千家驹 / 著

《太平天国革命运动论文集——金田起义百周年纪念》

华北大学历史研究室 / 编

《理性与自由——文化思想批评论文集》　　胡绳 / 著

《战斗者的诗人》　　黄药眠 / 著

《国语文法》　　曹朴 / 著

《教育哲学》　　张栗原 / 著

《妇女问题讲话》　　杜君慧 / 著

《婚姻 · 子女 · 继承》　　沙千里 / 著

《性教育新论》　　布士克　雅各生合著 / 董秋斯译

《狱中杂感》　　杜重远 / 著

《七人之狱》　　沙千里 / 著

《爱迪生传》　　伍况甫 / 译

《歌德自传》（上下）　　歌德著 / 思慕译

《尼赫鲁自传》　　［印度］尼赫鲁著 / 毕来译

《列宁传》　　［苏］凯尔任采夫著 / 企程　朔望译

《罗斯福总统传》　　C．Mackenzie 著 / 张尚之译

《托尔斯泰传》（1–3）　　［英］阿尔麦 · 莫德著 / 徐迟译

《革命文豪高尔基》 [美]亚历山大·康恩著/韬奋编译

《鲁迅纪念特辑》 新中国文艺社/编

《回忆鲁迅先生》 萧红/著

《人民文豪鲁迅》 平心/著

《亡友鲁迅印象记》 许寿裳/著

《鲁迅思想研究》 何干之/著

《鲁迅研究》 夏征农/编

《过来的时代：鲁迅论及其他》 雪峰/著

《电影戏剧表演术》 洪深/著

《日常心理漫谈》 [美]约瑟夫·查斯特罗著/曾宝施译

《心理常识漫话》 朱智贤 杨云美/著

《读书的方法与经验》 王任叔/著

《美国黑人生活纪实》 [美]加德维尔 斯坦倍克著/董秋斯译

《初访美国》 费孝通/著

《事业与成功》 [美]马尔腾著/汪原放译

《萍踪寄语（初集）》 韬奋/著

《一生的幸福前途——〈生活周刊〉信箱选集》 生活书店/编选

《深刻的印象》 生活周刊社/编

《海外的感受》 生活书店编译所/编

ISBN 978-7-108-04690-1
9 787108 046901 >
定价：42.00元